Rod Hares & Geneviève Elliott

Compo 2000

French Language
ESSAY WRITING

2nd Edition

D0317274

Hodder & Stoughton

A MEMBER OF THE HODDER

Acknowledgements

The publishers would like to thank *Vivre en Provence* for permission to reproduce the extract on page 59.
Thanks to Catherine Clayton, Claire Vickers and Emma Watson for the inclusion of their essays on pp. 84–9.

British Library Cataloguing in Publication Data

Hares, R. J. (Rod J.)
 Compo! 2000. – Rev. ed.
 1. French language – Composition and exercises
 I. Title II. Elliott, G. (Genevieve)
 808'.04'41

ISBN 0 340 67398 2

First published 1982
Second edition 1997
Impression number   10 9 8 7 6 5 4 3 2
Year   2001 2000 1999 1998 1997

Typeset by Wearset, Boldon, Tyne and Wear.
Printed in Great Britain for Hodder & Stoughton Educational, a division of Hodder Headline Plc, 338 Euston Road, London NW1 3BH by Redwood Books, Trowbridge, Wilts

Contents

Preface

Like its companion, *Der deutsche Aufsatz*, this short book has been written in response to requests for help from many of our students. It is not a comprehensive and fool-proof answer to the problems of writing an essay in French and it restricts itself to helping you with the mechanics of writing, knowing that your teachers, discussions, text-books and magazines will provide sufficient source material for your basic ideas and arguments.

What we have tried to do is to look at where you are likely to go wrong in the working of your essay. We believe that the book will help you to write an essay in correct and authentic French and that you will gradually achieve a level of confidence and greater enjoyment in your writing.

We wish you well in your endeavours.

RJH, GE

Author's Note:

Very sadly, Geneviève Elliott died during the writing of this book. She had been ill for some time after the loss of several close members of her family and I hope that *Compo!* will now serve as something of a memorial to her. She gave much love and happiness to her three daughters and, as a gifted teacher, gave affectionately of her spirit to the teachers and students of Northumberland. For me, she was the kindest person I ever worked with.

RJH

Structuring the Essay

Themes

Most titles encountered by the student writer will come into one of the following categories:

A   A contemporary problem or scene
B   A moral issue
C   Visits to and interest in a French-speaking country
D   The cultural or social background of a French-speaking country
E   A socio-political question
F   A socio-economic question
G   A philosophical question
H   Literature and the arts (their justification/your interest)
I   Hobbies and pastimes
J   Sport

(See Appendix C for a list of example questions.)

Before we proceed to the actual structure of the essay, it is useful to realise how it may well be possible in each of the categories, to see the essay theme as a topic for two-sided discussion, i.e. as an idea which has both advantages and disadvantages, or, at least, where conflicting views should be considered, for example:

1   *L'Euthanasie deviendra vite obligatoire* is a contentious theme which demands an appraisal of the valid arguments of both the supporters and the opponents of euthanasia.

2   *La Famille nucléaire* requires the writer to trace the development of this modern phenomenon and to see what today's family has lost and gained in relation to preceding generations.

3   *Paris, ce n'est pas la France!* anticipates a discussion of the ways in which life in France is and is not too centralised.

4   *Le Sport—élément essentiel dans le développement du caractère* should elicit comment on the role of sport in education in both its positive and negative aspects.

It would be both feasible and easy to take up a one-sided position on any of the above topics, but the essay is much more likely to be successful if an attempt is made to state and weigh up both sides of the question, even though you may feel particularly strongly in one direction.

The balanced view

Why try for a balanced view? Firstly, it should be remembered that the person reading the composition is looking at both the language and the ideas and, if it is being assessed for a mark, points will be allocated to both areas. If you can show yourself to have a mind that is sufficiently balanced to be able to see both sides of a question, while inclining to one of the sides, the score for the thought content will be much higher than for a one-sided essay.

Sufficient material

The second advantage of a balanced view is that, if you produce sufficient ideas and illustrations, relating to two sides of a topic, you will find it much less difficult to give your essay a reasonable length. It is easier to find three major points for each side of a question, than to find six for one side or the other.

The Structure

The shape

The diagram below is a simple and effective model on which to base the structure of an essay. If your assignment is written in three clearly recognisable sections—an introduction, a main body, and a conclusion—it is already part of the way towards presenting a logical and well-rounded whole. Additionally, if you become accustomed to following such a scheme, you will find yourself automatically prepared for the shape of your composition, even before you begin writing it. As one of the major problems confronting the essay writer is often the *shape* of what is being written, such preparation can only be beneficial, especially in the examination situation, when the proper organisation of available time is so important.

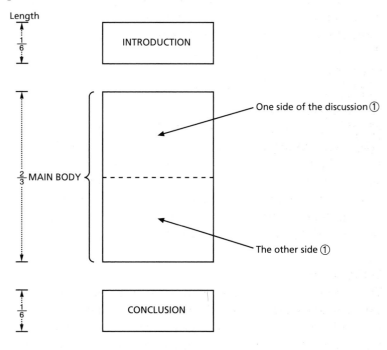

(① – See notes on the **strong structure**)

The introduction

This initial section (of one or two paragraphs and approximately one sixth of the length of the essay) should be exactly what its title implies and should introduce the reader to your theme, but beware the temptation to greet him with a collection of vague sentences which have little to do with your topic.

What steps may be taken to ensure that the introduction is direct, relevant and interesting? If the following points can be answered in the affirmative, then, as far as the thought content and ideas are concerned, the reader's first reaction is likely to be favourable.

Have you:

1   made at least an oblique reference to the title?
2   presented a list of the main points to come?
3   given some indication of your personal stance?
4   provided a smooth lead-in to the main body?
5   left room for manoeuvre in the conclusion?
6   not made your introduction too long/too short?

Digression and directness

A partial allusion to the title helps to tie a writer to his theme. This is particularly worth remembering since digression from the theme unfailingly causes irritation in readers. This does not mean that a complete repetition of the title is necessary. A paraphrase or the use of part of the actual title will suffice. Wholesale repetition, particularly if it occurs several times, suggests that the writer lacks the ability to express the idea himself.

The introduction is often at its most effective when it draws together a list of the main points to be dealt with in the main body of the essay. It tends to have a direct quality, prepares the reader for what is to come and helps to check the writer's natural tendency to wander from his plan. It has the further advantage of imparting a logical feel to the assignment, when the reader can see that what is promised in the introduction actually occurs in the following paragraphs. All too often there is little connection between introduction and main body, so that such a start as the one under consideration creates an impression of a clear and organised mind.

Personal standpoint
Somewhere in the introduction, the reader should be given an indication as to the standpoint to be adopted by the writer in the ensuing debate. This does not need to be too forceful or have to follow the *pour moi/selon mon avis* . . . pattern and may be put much less personally.

The transition
If the above suggestions have been followed, then the introduction is likely to have provided a smooth lead into the main body, since the first major point in the body of the essay will already have been mentioned briefly. Should there seem to be a hiatus between the introduction and the main section, then there may well have been a lack of relevance, clarity or direction in the first paragraph(s). Indeed, a careful look at the junction point between Sections 1 and 2 of the essay is a useful check, since the smooth or jerky transition will indicate whether or not the introduction has done its job.

The temptation to list *every* main idea in the introduction should be avoided as this may leave the writer without anything new to say in the conclusion. Pages 9–10 discuss the tendency for the conclusion to devolve into a barely concealed regurgitation of the introduction. Thus, it is advisable to leave one important point to be made at the end of the essay, so that the latter does not simply peter out.

First impressions
It is worth remembering that it is in the introduction that the reader gains his first impression as to the worth of the ideas contained in the composition. Too long an introduction is likely to wander from the point, to be too comprehensive, or at the worst, mere padding. What the reader would most like to see in the first few sentences is a succession of clearly expressed statements which are relevant to the title and give some indication of the author's personal opinion.

At the other extreme from excessive length is the over-short introduction, which is so brief that the reader does not have time to situate himself before being plunged into the main arguments of the composition. *First impressions count* is a cliché which is only too valid, when an essay is being assessed.

The main body

Important though the introduction will have been for situating the reader and for creating first, favourable impressions, it is the main body which carries the weight of the essay, by reason of its length and the fact that it develops *extensively* major and crucial arguments. Because, also, of its length, it can be more difficult to control than either the introduction or the conclusion, since it contains sufficient room for the writer to lose or wander away from his theme. But before proceeding to an examination of such pitfalls, it may be helpful to consider points relating to the construction of the main body.

The strong structure

When the reader reaches the conclusion of the essay, most of what is uppermost in his or her mind will relate to the points most recently read. Presented with a considerable amount of information to read, the human mind quite naturally recalls best what it has just processed. Thus if you, the writer, are attempting to sway the reader towards those arguments you favour, it is advisable to leave such arguments until the latter stages of your composition. To see that this is a valid suggestion, one only has to look at the converse. Imagine you are writing an essay in which you examine the advantages and disadvantages of supersonic travel. You incline in favour of such travel and launch into the advantages directly after your introduction. You then present the points against immediately before your conclusion. It is safe to assume that the reader, if he is prepared to bother, will have to read back through your composition to refresh his memory on the points you raised in praise of supersonic travel.

During the rest of this book, the essay structure in which the arguments supported by the writer are placed in the second half of the main body will be referred to as the **strong structure**, since it is this strategy which offers the **strongest** opportunity of influencing the reader.

The undecided view

A major difficulty still needing to be resolved is the fact that, sound as the above advice may be, it is not always possible for the writer to feel very positively about either side of the question. He may feel sufficiently interested in a topic to wish to write about it, but his views on the subject may be very mixed. If you should find yourself in this position, you should not feel deterred from using an extension of the strong structure. You may still divide the main body of your essay into two distinct halves and simply end with no firm decision made as to the superiority of one side of the argument.

The parallel argument development
The above method is not the only way of structuring the main section of a composition, although it is the most efficient and easily managed. Essays often proceed by means of what may be termed the **parallel argument development**, in which a point is put and its

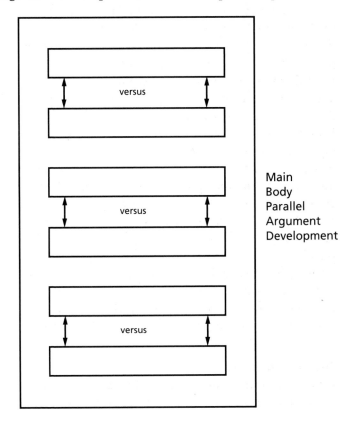

Main
Body
Parallel
Argument
Development

advantages assessed, followed immediately by an analysis of its disadvantages, or vice versa. If this procedure is represented diagramatically, then the difficulties of the method are immediately obvious.

Throughout the composition, you are obliged to weigh up both sides of individual points before assessing their totality. Unless you are very fluent in written French and have a highly logical and organised mind, such an assignment is most demanding and, more important, whether or not you succeed in achieving general clarity and balance within each point, the task for the reader will be made more difficult with this method, since the latter will have to sift two sides of an argument at every point. Once again, the question of shape is important: because both sides of each point presented are developed at each stage, no general feeling of weight of argument may emerge. Often, with the strong construction, the trend of the essay will have become quite clear to the *eye* of the reader by the volume of argument produced, since the writer will tend to write at greater length on the side he supports or has more ideas about, and his position will be commensurably evident. This is a most valid point, since if a writer does support a particular side of an argument, the reader should not have to wait until the final lines to find out which side this is.

The explanation-type essay

On page 75, there is an example of another type of development in what may be called the **explanatory** essay. Here, the essayist is asked to account for a given situation and the previous two-sided approach is no longer suitable. In some respects such a composition is easier, in that the writer is not conscious of having to balance his arguments where possible. But it can be a problem for the writer to find a sufficiently large number of points to develop along the single line of the argument.

There will be themes such as *La France, pays natal des peintres* and *La Drogue*, or those dealing with visits to French-speaking countries, or with favourite interests and pastimes, for which a one-sided approach will be appropriate. However, should the writer find himself short of points for discussion within such a topic, it will often be possible to broaden the discussion into a consideration of similarities between and differences in the way of life in France and Britain (see pages 73–5) or of the joys *and* frustrations of one's love of opera.

The conclusion

Many otherwise well-written compositions lose their authors some credit in the very last lines, through a conclusion which is an almost verbatim repetition of the introduction. The tendency to reproduce the initial stages of the essay in the final paragraph can be countered in a variety of ways. If, for example, you can write the end without looking back at the beginning, this is often of help, though it is by no means foolproof since ideas from your introduction are likely to re-surface in your mind when you come to concentrate on the conclusion. If, however, you can select a specific *style* of closure, which is very different from the way you led into the main body, this will be of considerable assistance.

The **final main point** brings about a neat close. In this paragraph you may end on a high point by introducing: (a) the most important point of all for consideration; (b) a possible solution to a vexed problem; or (c) something we would be well-advised not to forget. To make this final point you may use such turns of phrase as:

Le remède contre cette situation peut se trouver dans . . .
L'aspect le plus grave de la crise actuelle sera . . .
Le résultat, rendu public la semaine dernière, témoigne de . . .
Si le sondage prouve quelque chose, n'est-ce . . . ?

The **look to the future** ending gazes beyond what has been written and persuades the reader to think of future possibilities:

Ceci ouvre des horizons que certains espèrent et que d'autres redoutent.
Le temps montrera dans quelle mesure ils réussiront.
Une telle attitude contribuera à une forme de . . . beaucoup plus sain(e).
Il faudra peut-être refaire complètement le système, en . . .
Où en voir la fin? Dans un monde de . . . ?

International implications   The writer concludes by asking his readership how what has just been discussed will affect other civilisations, nations, or socio-economic groupings:

Évoquons la signification croissante de . . .
Interrogeons les Basques, les écrivains russes, pour n'en nommer que quelques-uns.
Cela réduit ainsi les chances d'une autre guerre mondiale.

The quotation   An aptly chosen quotation will often give the closure a feel of official approval:

'Dans une guerre civile, la victoire même est une défaite.'
'Paris est le plus délicieux des monstres.'

Who can tell?   What a relief it can be for the writer to opt out of the final judgement and leave the case open:

Que faire dans un tel avenir?
Ce sera l'histoire qui le permettra, et non la raison.
C'est à qui mieux, mieux!

The dramatic, ironic, or satirical comment   Like the previous device, this is a means of opting out of a definite decision, but is perfectly valid since so many essay questions pose insoluble problems. Such a closure, if used properly, can at least show the writer to have a degree of wit:

La division est d'abord dans la tête de chaque Transsylvanien!
L'atmosphère n'est pas au beau fixe, ni au beau tout court.
Qui y croit encore?
Cela n'exige pas beaucoup d'énergie mentale!

Common Faults

Attention to structure along the lines suggested in this chapter, will help you to plan and develop an essay which is logical and interesting, but there are other pitfalls to be avoided if you wish to write something which will retain your readers' attention and obtain their approval. Below is a brief list of common stylistic blemishes which will detract from the effectiveness of the presentation and lose marks.

Digression   Length is an encouragement to digression. If you have found three or four main points for each side of an argument, stick closely to them. To test whether you are wandering from your theme, look back at your title each time you introduce a new paragraph or illustration. Ask yourself: *Is what I am writing relevant to the title?* If it is not, either omit it, or find some means of relating it specifically to your topic.

Loss of thread   This is related to and is often a consequence of digression. It occurs frequently when the paragraph becomes over-long. As a rule of thumb, keep to a minimum the number of paragraphs over half a page in length. If you realise you have lost your thread, do not be afraid to cross out irrelevant material and continue from the last point where you were recognisably on theme.

Counter-writing   often occurs in over-involved writing. Check through your paragraph to ensure you have not just contradicted yourself. Once again, relatively short, crisp paragraphing will help to avoid this defect.

Story-telling   A language essay which devolves into narrative when discussion and rational argument are called for will not score you much credit. Unless you are specifically asked to tell the story of something do not do it!

Padding   is something with which we are all familiar and is often the understandable human reaction of a student obliged to comply with a minimum length regulation. It is nonetheless best avoided. A short essay that is relevant will score more marks than one so full of cotton wool that it is immediately evident to the most undiscerning reader, let alone your teacher or examiner. If you have a tendency to pad out your work, then, once again, shorter paragraphs will help.

Repetition is for most people an unconscious fault, since it is a result of the mind's natural tendency to reproduce language patterns which have just been used. Nevertheless, frequent repetition creates a bad impression, because the reader comes to feel that (a) the writer is saying nothing new, and (b) his or her vocabulary must be very limited if there is so little variation. Beware of the sin of repetition (except for stylistic effect) while you are actually writing a paragraph and find synonyms for the lexis you find yourself repeating. (If you noticed the second occurrence of *find* in the last sentence, you may well have felt it irritating!)

Above all, avoid excessive use of *avoir*, *être* and *faire* and use the vocabulary in the Appendices, as well as your *own* discoveries to widen your choice of individual words.

Punctuation or lack of it, is not only something which shows how careful the writer is, it can lose you many marks in your French essay. A dash is obligatory when a verb and pronoun are inverted in French. Similarly, if a word has been given an accent, there is a reason for it. Try, then, to pay attention to the basic punctuation of your essay as one simple way of ensuring that your work does not lose any more marks than necessary. It would be a real pity if your excellent planning were let down by a few careless slips of the pen which remained uncorrected.

An Essay Style

When you write an essay, how you express an idea is as important as the idea itself, since, if you do not explain your thoughts clearly and convincingly, the reader will remain unclear and unconvinced as to what you are saying. People with an apparently perfect command of the French language can easily come to grief when they try to write an essay, on account of their written style.

Why should this be so? At first such a state of affairs may seem rather surprising, but it is really not unusual for linguists with an otherwise fluent command of a language to encounter difficulties when faced with a composition to write. The following two example paragraphs in English should clarify the point:

A

They say that the reason for this thing is the working wives. They leave their work to be at home after getting married. So working women are not reliable. They say that women also make their work boring, because they don't want to go places.

B

The arguments put forward by the defenders of male supremacy are based on the fact that working women often leave their employment to get married or to have children. The female workforce is thus said *to have no stability. The second sex is also blamed for a lack of ambition which leads them to work which may seem initially satisfying but which provides no real fulfilment.*

The above indicates that there are different styles of language which are appropriate to different situations. Paragraphs **A** and **B** treat essentially the same theme and ideas. Paragraph **A** might well be heard in everyday conversation but it would not be acceptable in an academic written exercise, since (a) it is couched in a not very careful spoken style or register, and (b) its colloquial and casual nature prevents the writer from conveying his information clearly and precisely. By contrast, Paragraph **B** reads smoothly and conveys its information with a degree of clarity.

The two examples reveal why so many people will never be able to write an academically acceptable, analytical essay in their first language, let alone their second. A language essay of the type under discussion in this book is a demanding intellectual exercise, requiring precision of expression and logical development of ideas. For these aims to be achieved, the writer has to accept that different styles of language are required for different purposes. Of course, Paragraph **A** is an exaggerated example and few student readers will see themselves mirrored too closely in its language, but it does serve to illustrate that the language we use in casual, relaxed conversation is simply not good enough for a *written* essay, because (a) it will confuse the reader by its woolly, involved or elliptical style and (b) its particular texture may well cause the reader to react against it.

Some attention has been devoted to this particular point since student writers often take the understandable attitude that they are not much in favour of being asked to write an essay using a style of language they would never use in speech. It is easily possible and again quite understandable to feel that one is being forced into using a language register which is artificial, merely to impress one's readers. In the early stages of acquiring an essay-writing technique this is precisely what happens, but, with practice, the new mode of expression becomes internalised and provides the writer with a much more sensitive and flexible tool both for formulating new ideas and then for expressing them.

To realise that this process is valid and has already taken place on other levels, it is only necessary to think of the differences in speech patterns between seven- and fourteen-year-olds. In the adolescent, a degree of sophistication will have developed commensurate with the changing environment of the individual. When foreign language students are confronted with essay writing as a part of the curriculum, they will be wise to accept that their own environment has also changed and that it is necessary to adapt to the demands of the exercise.

A study of the French equivalents of the sample paragraphs may now be appropriate.

A

Ils disent que la raison de cette chose, c'est les femmes qui travaillent. Elles quittent leur travail pour être chez elles après le mariage. Alors les femmes qui travaillent ne sont pas stables. Ils disent aussi que les femmes sont responsables de leur travail ennuyeux parce qu'elles n'ont pas d'ambition.

B

Les raisons avancées par les défenseurs de la suprématie masculine se basent sur le fait que les femmes qui travaillent quittent souvent leur emploi pour se marier ou pour avoir des enfants. On ne peut donc pas compter sur le personnel féminin. On blâme le deuxième sexe aussi pour son manque d'ambition, ce qui produit un travail qui à première vue semble répondre à leurs besoins, mais qui ne leur donne aucune satisfaction réelle.

When the two paragraphs are compared after a first reading, the initial reaction to **A** may well include the following elements:

1   difficulty in concentrating on what is being said.

2   irritation.
3   lack of interest.

You will have noticed that there is a considerable amount of *repetition* in paragraph **A**—*Ils disent, les femmes, travail(lent)*. Frequent repetition is a major stylistic blemish, since it encourages the reader's mind to concentrate *less*, as there is *less* new information coming through to be processed by the brain than should be the case. In other words, the reader needs to be presented with a variety of new vocabulary and ideas so that he or she will be stimulated into concentration. The more reiteration there is, the more likely the reader is to fall asleep or to react in an opposite direction and become considerably irritated. This latter reaction is partly a result of his having to read the same words and phrases over and over again and partly conditioned by the fact that if he does wish to continue, he has to make considerable efforts to wade through the welter of colourless repetition, to find out if anything new is being said.

Looked at positively, one of the writer's main responsibilities is to maintain sufficient variety of expression for the reader to find the composition easy to read and to feel involved and interested enough to continue.

Paragraph **B** is a piece of straightforward writing which does not attempt to produce any great thoughts. All it attempts on one level is to set out the frequent criticism that women are an unreliable workforce because of the interruptions in their continuity of service caused by the raising of their families and their related lack of ambition.

The paragraph has the merit of clarity and the reader is not obliged to sift through repetitious statements to see exactly what is being said. To avoid repetition, the following alternatives are used:

le personnel féminin and *le deuxième sexe* for *les femmes*,
emploi and *personnel* for *travail(ler)*
les raisons . . . se basent and *on blâme* instead of *ils disent*.

The key vocabulary chosen suggests a logical, ordered approach:

proférer, défenseurs, se baser, stabilité, blâmer.

This is precisely the vocabulary that is typical of the essay register, since it is clear, balanced, unemotional and impressive. The last of these qualities is basically a consequence of the other three. The need for a prose style conveying logic and clarity has already been established. A lack of emotional interventions (except occasionally for effect) will underpin these two aims since feelings will not stand in the way of reason. This is an important point to remember, as, when we feel very strongly about something, we tend to make impassioned appeals to our readership. It should not be forgotten that in so doing the writer risks alienating those he wishes to persuade, since strong emotions from one individual tend to produce counter-emotions in another. The writer's public are persuaded by reason in the mind, with *very occasional* recourse to rhetoric.

C

L'homme est stupide et aliéné en même temps. Il se rue à sa propre destruction, tout en employant son manque de compassion, sa cruauté, son avidité pour s'amuser en route. On peut voir de partout l'homme hypocrite se montrer comme une créature violente, se suicidant sans aucune conscience de ce qu'il fait.

D

En considérant le spectacle qu'offre aujourd'hui l'humanité, on en viendrait à se demander si le Créateur, un peu fatigué par des travaux exceptionnels pendant six jours, n'a pas hâté légèrement la conclusion de sa suprême création, le premier Adam. Il semble en effet que l'homme moderne organise sa propre destruction en pleine conscience et sans pouvoir s'en empêcher.

A brief comparison of example paragraphs **C** and **D** will illustrate the point. In **C**, the flood of emotional vocabulary chosen—*stupide, aliéné, cruauté, avidité, hypocrite, violente, se suicidant*—serves to achieve the exact opposite of the author's aim. Instead of recruiting his readers to his cause, he alienates them by the totally emotional and negative nature of his appeal. No one wishes to believe that people are all bad, because he or she belongs to the same species. Besides, the cumulative nature of the extreme criticism gives a definite picture of a lack of balance on the part of the writer.

By contrast, the writer of paragraph **D** has attempted to write in as detached a manner as is possible, while sharing some of the first author's sentiments. By employing a whimsical analogy with the biblical story of Creation, the essayist allows the reader to smile a little despite the seriousness of the situation. Bad as things are, if we can maintain some detachment, we may yet rescue the situation. To support the cleverly chosen image of the Creator working slightly hastily, the writer uses carefully chosen vocabulary and structure to temper the argument and to impart some sense of balance—*on en viendrait, légèrement, il semble, en effet, sans pouvoir s'en empêcher.*

The mention of carefully chosen vocabulary and structure leads us on neatly to the other vital factor in your French style, which needs to be identified and worked upon from an early stage.

An Essay Vocabulary

Because of the fact that the language of the conquering French made its basic impact on English via aristocratic circles and the courts, the French influence which has persisted into our modern language is most noticeable at a social, legal, political and intellectual level. Thus much of the language that we use in these areas is remarkably similar to the original French or the parent Latin, for example:

court, code, etiquette, punish, law, prison, politics, power, party, criticise, composition, literature, analyse.

However, despite the close similarity between intellectual French and English, we cannot expect the likeness to be exact. There are words used very commonly in more literate French which either do not exist in English or have come to have a slightly different connotation in our language. The following is a list of example sentences containing the relevant vocabulary in context, together with other essential words which we might never think of using.

Assignment

For each item of vocabulary you are given an example sentence. Study the examples, then write another sentence for each item.

accorder	Les clubs de vacances accordent des tarifs préférentiels. Cet événement nous accorde un délai favorable.
s'aggraver	La situation s'aggrave de jour en jour.
améliorer	Il faut améliorer les conditions de vie dans le Tiers Monde.
s'améliorer	Le climat international s'améliore.
s'aveugler	Nous nous aveuglons souvent sur les défauts des amis.
consacrer	J'y consacre tout mon temps libre.
contribuer	Leur coopération a contribué au succès de l'entreprise.
créer	Sa générosité a créé une ambiance positive.
décerner	Le juge a décerné une récompense au passant innocent.
déterminer	Il faut en déterminer les causes exactes.
développer	Une hostilité mutuelle se développe/s'est développée lors de l'intervention soviétique.
exiger	Ceci exige un peu d'énergie mentale!
estimer	J'estime les efforts des skieurs français. Il estimait indispensable de le faire.
entraîner	Une telle attitude entraîne tout une gamme de difficultés.
faciliter	Le sport facilite les bons rapports internationaux.
favoriser	Le climat en Espagne a favorisé l'expansion de l'industrie touristique.
fournir	Une telle tentative fournira un tremplin pour l'avenir.
inciter	Dire cela, c'est inciter une série de controverses.
maîtriser	Il a maîtrisé l'art de conduire une auto à l'âge de dix-sept ans.
mobiliser	La campagne a mobilisé près de 500 000 adhérents.
monopoliser	Paris monopolise l'attention et les fonds.
obliger	Cet acte d'agression nous oblige à réciproquer.
obtenir	On a obtenu l'autorisation d'y aller.
nuire à	Ceci nuit aux intérêts de la société.
offrir	Ce siècle en offre plusieurs exemples.
partager	Cette controverse partage la société.

pousser	Il ne faut pas le pousser à l'extrême.
préciser	Précisons que la France aurait dû gagner le match.
procurer	Procurons un autre avis là-dessus!
provoquer	Ce jeu de rugby va provoquer une crise internationale.
réclamer	La situation réclame un peu d'action.
renforcer	Cet essai renforce la disparité entre les deux côtés.
répugner à	On répugne à agir d'une façon si malhonnête.
risquer de	Vous risquez d'en obtenir un résultat tout autre.
souhaiter	Nous souhaitons voir une amélioration dans l'état des choses.
susciter	Une telle attitude suscite l'extension de ce je-m'en-foutisme.
souligner	Encore un exemple pour souligner les attraits de ce pays.

Another fundamental difference of feel between English and French is the way in which the latter avoids over-use of the verbs *avoir* and *être*. In English, an essay couched in the most erudite style is quite likely to be peppered with references to *is, are, has* and *have*. Study the examples below and note some of the ways in which the French writer manages to dispense with them.

The avoidance of avoir
Ils <u>disposent de</u> l'argent nécessaire.
Elle <u>éprouve</u> des difficultés.
Elle <u>garde</u> la nostalgie de l'époque Jean Gabin.
Ils <u>obtenaient</u> l'appui nécessaire.
Ils <u>abritent</u> sous un même toit deux activités dissemblables.
Le gouvernement <u>s'appuie sur</u> une majorité peu fiable.
Ils vont <u>s'approprier</u> tout le profit.
Ce sentiment ne <u>connaît</u> pas de frontières.
Ils ont <u>adopté</u> la devise.
Elle voulait <u>se procurer</u> une voiture.

The avoidance of être
Je <u>proviens du</u> sud de l'Angleterre.
J'<u>appartiens à</u> un club de football.

Elle <u>regrette</u> que ce soit le cas. (pour: 'est navrée')
J'aime bien <u>me retrouver</u> avec mes amis.
Ceci <u>constitue</u> une attaque contre le principe.
Cette propagande subversive <u>s'infiltre</u> partout.
Ce sport a <u>servi de</u> soupape de sûreté.
La polygamie <u>se déclare</u> plus souvent que la polyandrie.

Assignment

Using the above examples as a guide, find a substitute for the form of **avoir**
or **être** *underlined in each of the sentences below:*

Ceci <u>est</u> un changement de direction.
Nous <u>avons</u> peur.
Elles <u>ont</u> suffisamment de fonds.
Je <u>suis membre d'</u>une société de vélomanes!
Son influence <u>est grande</u>*.
C'est une dame qui n'<u>a</u> pas d'ennemis.
Ils ont <u>eu</u> la décision.
Ces vacances ont <u>été un</u> bienfait total.
La guerre <u>est plus commune</u> que la paix.*
Le champion <u>a</u> ses partisans pour l'aider.

(* Requires a slight change in the structure)

The avoidance of **dire**

Dire is another verb vastly overworked by Anglo-Saxons. Look at the
large number of ways in which a sentence can be finished after
speech, without your having to resort to *a-t-il dit* all the time.

'. . .',   fulmine le leader du groupe.
            s'indigne le Président du Conseil.
            accuse un haut fonctionnaire français.
            constate la Poste francaise.
            ironise un commentaire laïc.
            proposent les fanatiques du jeu.
            affirme-t-on du côté anglais.
            a résumé le ministre.

s'enquérait-il.
analyse rondement Xavier Machin-Truc.
répliquent-ils d'une seule voix.
a suggéré un troisième parti.
a commenté une experte.
ajoutent-ils plus discrètement.
a assuré l'instigateur du système.

Next time you quote someone in an essay, draw on the vocabulary above to finish off your quotation.

A subjunctive flavour

Something that has all but disappeared from our language is the subjunctive mood. It is a way of using the verb to suggest necessity, doubt and various forms of emotion, and despite the difficulty it causes many French people, is still an important element of a written style. To understand its use effectively you will need help from a teacher, but one or two of the examples below sewn into the fabric of your essay will help to impart a French feel to what you write:

Quoi qu'il advienne	Come what may
Quoi qu'on fasse . . .	Whatever one may do . . .
Quel qu'en soit le résultat	Whatever the result may be
Que voulez-vous qu'on y fasse?	What do you expect us to do?
Aussi difficile que soit . . .	However difficult . . . may be
Où que ce soit	Wherever it may be
Qui que ce soit	Whoever it may be
Je regrette que cela soit le cas	I am sorry that is the case
Dieu soit béni!	Praise be!
À Dieu ne plaise!	God forbid!
Soit . . . soit . . .	Either . . . or . . .

Linkage

An essay can be couched in grammatical, idiomatic and quite fluent French, yet it may still read awkwardly if no attempt has been made to present the pattern of ideas smoothly, allowing them to flow into each other. If a paragraph is written as a series of unvarying sentences containing little more than a subject, verb and some sort of complement, the result will be jerky, rather like the slow drumming of fingers on a table-top. Sentences often need to have small variations introducing them, or little bits of extra information included, so that we do not always start simply with the subject and verb. The two versions of the same paragraph below will illustrate the point.

A

La société semble toujours désapprouver moralement les mères qui travaillent. On a observé que l'âge de formation d'un enfant commence bien avant son entrée à la maternelle. Les rapports mère-enfant signifient beaucoup durant cette période. Il existe des cas où une mère ayant de jeunes enfants doit se soumettre au travail pour résoudre les difficultés financières de la famille. Un rapport pédagogique spécifie qu'on réserve les dix milles places disponibles dans les crèches aux mères dans l'obligation de travailler, mais les données déclarent que cinquante-cinq pour cent des mères se trouvent dans ce cas.

B

<u>Qui plus est</u>, la société semble désapprouver moralement les mères qui travaillent. <u>Avec justesse</u> on a observé que l'âge de formation d'un enfant commence bien avant son entrée à la maternelle. Les rapports mère-enfant signifient beaucoup durant cette période. Il existe <u>pourtant</u> des cas, où une mère ayant de jeunes enfants doit se soumettre au travail pour résoudre les difficultés financières de la famille. <u>Pour les dix milles places disponibles dans les crèches</u>, un rapport pédagogique spécifie qu'on les réserve aux mères dans l'obligation de travailler; mais les données déclarent que cinquante-cinq pour cent des mères se trouvent dans ce cas.

The few changes underlined in **B** give a greater variety and flexibility to the prose and allow the information to sound more interesting to the ear or the eye. Each of the small amendments involves the use of a qualification or a simple inversion, which prevents the reader from becoming too used to a tedious pattern of words. But, the change is more than window-dressing. *Qui plus est, avec justesse* and *pourtant* all give extra information which adds to the significance of the basic statement they are clothing. The paragraph and the expression of the writer's thought are the richer for these few inclusions.

Paragraph **B**, although demonstrating reasonably well how the flow of the prose can be made more pleasing and, indeed, more meaningful, does not include all the devices which might have been used. Study the further suggestions below, note them when you come across them in the model essays and paragraphs and try to incorporate them *sparingly* in your own essays.

Paragraph **B** might well have included devices such as:

1 *The rhetorical question*
   Est-ce souhaitable dans une société compatissante?

2 *The exclamation*
   Nullement surprenant dans une société dirigée par les hommes!

3 *The comparison or parallel*
   Il n'en est pas de même chez les bêtes féroces.

4 *The sarcastic intervention*
   Quelle surprise!

5 *The appeal to reason*
   Quand est-ce qu'on va mettre fin à cet état de choses?

Each one of these strategies, although it is not an amendment to a basic sentence, serves much the same function, since it breaks up the run of ideas, alters the rhythm, gives a momentary change of direction. In short, it pleases the mind of the reader by offering some variety. It also begins to give a richness to the writer's style.

Perhaps even more important for the *débutant* essayist, these sug-gestions and others offered in this chapter allow the writer's person-ality to show through in an attractive and impressive manner. Once you have learnt to use the tools, there is no limit to what you can do with them. Reaching the point where an essay is a literary *tour de force* will of course take time, but the reader may take encouragement from knowing that from the start he or she can produce work which is less than grey and is genuinely interesting for those obliged to read it.

Assignments

A   *Fill the gaps in the sentences using the vocabulary in the box below. Use each item once only.*

1   Pour quelles raisons, un homme veut-il . . . . . à la politique?
2   Ce serait . . . . . des faiblesses de la nature humaine.
3   L'essence du problème . . . . . dans cette simple question.
4   Le fait de gouverner . . . . . pour ces hommes leur principale occupation.
5   De nouvelles situations sociales . . . . . tous les jours.
6   La remarque initiale du débat . . . . . une attitude plutôt dés-abusée.
7   . . . . . que certains sont moins négatifs.
8   L'homme politique . . . . . un fardeau que peu envient.
9   Chaque camp . . . . . défendre et justifier sa position.
10   Il faut . . . . . ici que l'association des deux démontre leur manque de compatibilité.

impliquer   se créer   supporter   se consacrer   conclure souligner   reposer   constituer   faire fi   s'attacher à

B   *In each sentence, choose a substitute for the verb 'avoir' or 'être', using the items in the box below, once only.*

1   Ils ont une certaine somme d'argent.
2   Ils ont leurs idées là-dessus.

3 Il y a des difficultés à résoudre.
4 Il n'a pas de solution.
5 Ceci a des avantages.
6 Je suis membre d'un club de football.
7 Nous sommes dans une situation désastreuse.
8 L'Allemagne est au premier rang des puissances occidentales.
9 L'ensemble est composé d'une série d'étapes.
10 Je suis de cette opinion.

> fournir   disposer de   approuver   figurer   offrir
> appartenir à   exister   consister de   se trouver   posséder

C *Below is a list of suitable verbs which will give a French feel to your writing, followed by an example of each in use. When you have studied the examples, write a sentence of your own to illustrate each verb.*

> améliorer   déterminer   faciliter   fournir   inciter
> pousser   provoquer   risquer de   renforcer   souligner
> susciter

1 Il faut améliorer les conditions de vie du Tiers Monde.
2 Son attitude déterminera l'ambiance de la réunion.
3 Un peu d'encouragement suscitera des efforts renouvelés de leur part.
4 Le sport facilite les bons rapports internationaux.
5 Une telle tentative fournira un tremplin pour l'avenir.
6 Dire cela, c'est inciter une série de controverses.
7 Il ne faut pas le pousser à l'extrême.
8 Nous allons provoquer une crise à cause de notre je-m'en-foutisme.
9 Cet essai renforce la disparité entre les deux côtés.
10 On risque de tout perdre.
11 Encore un exemple pour souligner le manque de fonds.

D *Using a French–French dictionary, such as 'le Petit Robert', look up the following verbs and make notes of suitable alternatives and the example sentences given in the previous assignment.*

> aller avoir dire donner être faire savoir

E *Rewrite the following paragraphs, substituting an alternative for the verbs underlined.*

> L'Angleterre n'<u>a</u> plus son pouvoir d'autrefois et <u>a besoin</u> d'<u>avoir</u> un nouveau rôle dans le monde. On <u>dit</u> que le Royaume Uni n'<u>a</u> pas les fonds nécessaires pour financer des initiatives sociétaires.

> se procurer requérir affirmer constituer disposer de

> Qu'est-ce que je fais pendant mes moments perdus? Je <u>suis membre d'</u>un club de jeunes qui <u>est</u> un mélange de toutes sortes de gens. J'<u>ai</u> un vélo de sport qui me <u>donne</u> l'occasion de <u>faire</u> des excursions avec ce groupe.

> posséder   appartenir à   participer à   fournir
> consister en

3

Language Errors

This manual concentrates on helping you to develop your essay style. Unfortunately, much of the effort you put into raising the level of your work from the point of view of ideas and their expression may be wasted if you are not careful to check the grammatical accuracy of what you are writing.

It is a frequent source of disappointment to teachers and examiners to find really promising students failing to do justice to themselves through careless language slips. Fortunately everyone can learn to cut down on these. However, before we start considering ways of doing this, it must be pointed out that language errors in French essay writing are not simply a question of carelessness. Many linguists, when reading through what they have written, find it genuinely difficult to recognise and identify their own mistakes.

But, whether mistakes arise from lack of attention or lack of awareness, it is not difficult to organise yourself into a technique which allows you to produce essays which are more correct grammatically.

Time

Firstly, you should ensure that you leave yourself enough time after writing the essay to go through thoroughly, looking for mistakes. If you are already in the habit of doing this, you will feel this advice to be unnecessary. Yet it is surprising how many writers consider they have finished their task once they have penned the last full stop. Similarly, there will be many people for whom checking an essay means a cursory minute's glance through the pages they have produced. You cannot hope to spot a high percentage of your errors in so little time. As a general rule of thumb, allow yourself a minimum of fifteen minutes for the typical 'Advanced', Certificate or Degree assignment essay.

Alternate lines

Before any check is made, there is one initial procedure which will help you cut the number of unforced errors you produce. Unless you are very short of paper, write your essay on alternate lines. This strategy is very soundly based. Because there is more space between the lines, the eye finds it considerably easier to differentiate individual words, not only during a check, but also at the time of writing, so that there are frequently fewer mistakes for you to find than in a composition where the content is cramped. When you are writing for an examination, the use of alternate lines will offer the additional advantages of making it easier for the examiner to read and of allowing you to correct errors tidily.

Check list

Merely to suggest that you allow yourself enough time to check thoroughly what you have written seems rather pious, since although the advice is well-meaning and undoubtedly useful, it leaves too much to you, the writer. Consequently, the check list below, showing what to look for, should be of considerable practical benefit, assuming you work through your essay checking each of the categories listed *individually*.

This last suggestion is perhaps the most important, since the average essay writer succumbs to the natural temptation of carrying out a single, general check. An overall look at what one has written, although a worthwhile final procedure, will not prove particularly effective on its own, since by definition it does nothing to train the writer into looking for specific categories of mistake. By checking through your essay for individual types of error one by one, you will actually see more of what you have written.

Error Check List

1   *The Verb*
    The verb is the hub of any sentence. If it is written wrongly,
    not only does it give a very bad look to the sentence, it loses
    more credit (and marks) than most other types of error. Start
    the revision of your completed essay by going through the
    verbs systematically, checking for the following:
    (a)   A singular or plural subject?
    (b)   The tense? If (plu)perfect, should the auxiliary be *avoir* or
          être?
    (c)   An irregular verb?
    (d)   The ending?
    (e)   The subjunctive?

2   *Genders*
    Have you checked the gender of every noun and pronoun and
    whether they are singular or plural? If you find a mistake,
    check back to the verb with which the offending word is
    linked.

3   *General endings*
    (a)   Adjectival?
    (b)   Noun change? Is there a change for a plural or change of
          gender?
    (c)   Participles? Is there a preceding direct object to cause a
          change? Is the participle linked to *être* and to all intents
          and purposes an adjective?

4   *Accents*
    Have you looked right through for missing accents, especially
    on familiar words which are very similar in English?

5   *Cedilla and 'ge'*
    Are there any words from which you have omitted a
    softening ', ' or *e*?

---

6 Que
Have you left out this relative, through translating your thoughts from English?

7 Qui/que
Have you written the right form of the relative pronoun?

8 *Prepositions*
Have you used the right preposition? Does the verb require a preposition to form a link with another verb?

9 *Inversions*
Have you forgotten to turn the verb and subject around, especially after *peut-être* and *aussi*?

10 *Hyphens*
Have you forgotten to hyphenate when the verb and pronoun subject have been turned round, or in a common expression like *peut-être* or *demi-heure* where the two parts merge to form one idea?

11 Ne ... pas
Are there a good number of negative verbs in your composition? If so, check to see whether you have fallen into the common error of forgetting to insert *pas* where appropriate.

The above list shows the most common areas in which you will make mistakes when you are writing an essay (or prose translation). The error types are listed, not in order of frequency, but in a logical sequence for checking and correcting, i.e. it would not be sound practice to check your general endings before you have looked at the gender and number of your nouns (and pronouns). For example, in the sentence:

*La crainte de l'avenir et l'amour du statu quo empêch**ait** une solution radic**al**.*

where the errors are in bold, even though the writer has made creditable efforts to express himself clearly and use interesting vocabulary, his good work is let down by the fact that he has not already noticed the plural nature of the subject of the verb *empêcher* or the feminine gender of *solution*.

Now study the list of examples of incorrect French below. They are all common instances of the ways in which the major mistakes occur. If many of them seem familiar, then this is a sound basis for improvement because you will already have begun to recognise mistakes similar to your own error patterns.

Example Errors

Check point	Incorrect version	Correction
VERBS		
A sing. or pl.	Le gouvernement <u>subissaient</u> de rudes épreuves.	*subissait*
subject	Le sens de l'humour et le fairplay <u>était</u> typiquement anglais.	*étaient*
B tense	Quand je <u>quitte</u> l'école, je m'inscrirai dans la marine.	*quitterai*
	Maintenant il faisait des efforts pour améliorer la situation, mais avant, il ne <u>tentait</u> rien.	*n'avait rien tenté*
	À Marseille, j'allais aux cafés, j'assistais aux spectacles, je <u>vais</u> au cinéma, je visitais les musées.	*j'allais*

auxiliary	Le niveau de communication a descendu.	*est*
	Le taux de chômage est augmenté.	*a*
c irregular	Il a dit qu'il y allerait, avant de décider.	*irait*
d endings	Je ne saurait jamais que faire.	*saurai*
e subjunctive	Il fallait que le Président reconnaissait les difficultés.	*reconnût*
GENDERS	Le Japon devient le victime de sa propre géographie.	*la victime*
	La groupe a décidé de ne rien faire.	*le groupe*

GENERAL ENDINGS

a adjectival	La situation exige des états radicals.	*radicaux*
b noun change	Les jeus sont faits.	*les jeux*
c participle	Ces bienfaits?—La désindustrialisation nous les a procuré.	*procurés*
	La société est descendu dans l'abîme.	*descendue*
ACCENTS	Notre systeme d'education ne le suscite pas.	*système, éducation*
CEDILLA/GE	Il faut agir de la même facon.	*façon*
	Les négociations exigaient le maximum de tact.	*exigeaient*

QUE	Ceci voulait dire___l'occasion s'était présentée.	*dire que*
QUI/QUE	C'est une personnalité <u>qui</u> j'exècre.	*que*
	L'occasion <u>que</u> se présente est propice.	*qui*
PREPOSITIONS	Étant donné la nécessité <u>à</u> agir.	*d'*
	On espérait <u>d'</u>en puiser une solution.	*espérait en puiser*
INVERSIONS	"La politique," <u>il disait</u>, "ne sert à rien."	*disait-il*
	Peut-être <u>ce sera</u> ce que nous avons attendu.	*sera-ce*
	Aussi, <u>il y a</u> un revers à la médaille.	*y a-t-il*
HYPHENS	<u>Est ce</u> que nous avons tort de le croire?	*Est-ce*
	<u>Suffirait il</u> de ne rien dire?	*Suffirait-il*
	L'élection ne présente qu'une <u>mi temps</u> politique.	*mi-temps*
NE . . . PAS	Je n'en ai___vu la justification.	*n'en ai pas vu*

(Keep this list in front of you, when you finally check over your essay.)

Error Check List (at a glance)

1 *The Verbs*
   (a) A singular or plural subject?
   (b) Tenses
   (c) Irregular verbs
   (d) Endings
   (e) Subjunctive

2 *Genders*

3 *General endings*
   (a) Adjectival
   (b) Noun change
   (c) Participles

4 *Accents*

5 *Cedilla*/**ge**

6 **Que** (omitted relative)

7 **Qui/que?**

8 *Prepositions*

9 *Inversions*

10 *Hyphens*

11 **Ne … pas**

Assignments

The following exercises are designed to help you to recognise the basic types of language error and to progress towards accurate correction.

Correct the mistakes in the paragraphs below (a key is provided on pages 123–4). In exercises 1–10 the mistakes are underlined.

1   Mon <u>velo</u> n'est pas seulement <u>quelquechose</u> de nécessaire; <u>elle</u> est plutôt une passion. Je n'aime pas être enfermé dans une pièce <u>tout</u> la journée et je prends toujours l'occasion de me <u>balade</u> en plein air quand elle se présente.

2   La solution <u>le</u> plus facile <u>serais</u> de dresser des barricades, <u>où</u> même d'annuler les concours <u>sportif</u>. Mais ceci___représente guère une solution.

3   Dans un proche avenir il n'y <u>auras</u> tout simplement pas les places nécessaires pour embaucher les millions qui <u>quitte</u> l'<u>ecole</u> chaque année. Il sera donc nécessaire de redéfinir <u>le</u> base <u>de le</u> travail.

4   Ne <u>seras</u>-il pas <u>vaine</u> d'<u>essaye à</u> subsister sur ce <u>que restent</u> de notre stock global de pétrole? Nous avons <u>explore</u> dans <u>ce</u> thèse les moyens alternatifs.

5   Ce <u>qui</u> il y a de certain c'est que nous avons <u>torts</u> de croire <u>toute</u> en <u>rédigant</u> le bilan de la drogue dans ce <u>pay</u> que ce soit <u>une</u> phénomène particulièrement <u>francaise</u>.

6   En règle <u>general,</u> le soin essentiel des <u>animals étais</u> de nourrir <u>leur</u> petits et de leur inculquer un <u>entrainement</u> pratique <u>que</u> leur permettrait de survivre dans leur milieu de naissance. Peut-être <u>il existe</u> parmi les groupes humains même les plus primitifs, un certain ⌐ ⌐de et une certaine moralité qui <u>doit</u> être <u>préservée</u> pour assurer l'existence de la tribu.

7   Il semble___dans certains cas la réponse <u>de</u> ces questions soit <u>résolu</u> par une <u>decision</u> à court terme, <u>destiné a etre</u> révisée, si besoin est. Pourtant sans <u>voulant</u> clore sur <u>un</u> note pessimiste, il semble que le système d'hier et l'attitude du governement <u>engendrait</u> néanmoins <u>des</u> excellents <u>resultats</u>.

8   J'ai fait ma <u>premier</u> visite <u>à</u> France l'<u>anne</u> dernière. J'y <u>ai</u> arrivé avec une <u>faux</u> idée des <u>français</u> et j'<u>ai</u> rentré en Angleterre avec

une attitude <u>toute</u> à fait différente. Aussi, <u>j'ai</u> fait des amis___j'aime bien. Il faut___j'y <u>retournerai</u>. La famille chez qui je <u>logais</u> et <u>la</u> groupe <u>de qui</u> j'étais membre <u>était tres amical</u>.

9 J'aime jouer <u>du</u> rugby parce que ça m'a <u>fournit</u> l'occasion de <u>voyagé</u> avec <u>ma</u> équipe.___Rugby est un de ces <u>jeus que</u> vous <u>encourage</u> à faire___votre mieux et <u>apres</u> le match vous avez la compagnie de vos amis. Notre club <u>sont</u> très <u>enthousiastes</u> et nous <u>voyagons</u> partout. Nos joueurs ont <u>représentés</u> la <u>region en</u> Canada et nous nous <u>avons</u> beaucoup <u>amusé</u>.

10 Suffit___il d'<u>ayant</u> raison pour convaincre? Nous avons essayé <u>a</u> démontrer___non. Parfois cela <u>suffis</u>, mais les cas sont <u>marginals</u>. Dans une <u>societé</u> idéalisée, utopique et <u>artificiel</u>, la raison <u>suffiraient</u> pour croire. Mais si la raison est <u>lié avec</u> l'absence de sentiments, ne serait___on pas alors dans l'inquiétante société <u>qui</u> décrit Aldous Huxley dans son livre, '<u>La meilleure</u> des Mondes'?

11 Peut-etre la verite de cette declaration est si evident qu'il ne vaux pas la peine de la discutait si on la prend au pied de la lettre. Apres et meme avant l'epoque de Louis XIV la France a souffri d'une centralisation excessif ou Paris a dominer le pays d'une facon hautaine.

12 Tout une gamme de sondages recents revelent qui le cousin campagnard n'apprecie point les attitudes des membres Parisiennes de sa famille ou sa prosperite qui semble souvent exorbitant, comparée a le niveau de vie dans les regions plus isoles de la France.

13 La loi de 1944, suivante la deuxieme guerre mondiale, reconnaissais le besoin de chaque individuel a un niveau d'instruction necessaire pour en fait un membre active dans une communaute que devait surmonter les suites desastreuse a la stabilite economique du pay.

14 Je commencait a m'interesser de la musique pop il y a quatre ans. Je vais tres souvent a la disco, et, la, j'ai l'occasion d'ecouter a mes disques preferes en dansante. C'est vrai il est necessaire d'etre fit si on veux jouer.

15 Je ne suis membre d'un club de sport, mais le badminton et le judo est mes sports preferes. Je joue aussi du tennis te temp en temp. La semaine derniere j'ai alle a le club de tennis pour joue avec mon amis. Je n'ai pas bien joue. J'ai perdi trois sets a zéro. Quel chance!

Writing Individual Paragraphs

Any essay has two basic aims. Its first is to convey information. Its second is to convey that information in a way which interests and affects the reader, so that (s)he may be persuaded of the value of the thesis presented. If its first were its only aim, then instead of an essay one would produce an information sheet in the style of a news bulletin, a shopping list, an agenda paper, or the minutes of a meeting.

The second aim is as important as the first. When sitting down to begin an essay, the writer should remain aware of the need to encourage the reader to read further. This is a fine intention. How may one set about achieving it?

Single main point

In the early stages it will help if you can see your composition as a series of paragraphs which you will hope to bind into a cohesive whole, despite the fact that they are nonetheless separate, individual parts, each of which enjoys its own importance. Chapter 1 suggests how you may set out your essay and emphasises the fact that each paragraph, except for those introducing and concluding the work, will normally develop a single main point, for or against the thesis proposed in the title. Thus, a basic essay paragraph is concerned with clothing and presenting a single main point.

The five point plan

Using this principle, a standard pattern may be produced to help you build up a paragraph or unit. In the early months of essay writing, try to see the paragraph as an entity containing:

1 the statement of a single main point
2 perhaps a brief definition or explanation of that point
3 one or two examples by way of illustration
4 a possible indication of your own opinion or position
5 an attempt to situate the point within a general context.

Represented diagramatically, your unit would be constructed thus:

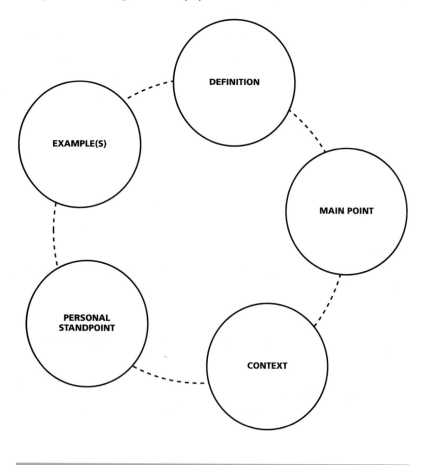

The elements of the paragraph are shown forming a circle in an attempt to convey the flexibility of the pattern: you may start your unit at any point in the circle and move on to the other points in any order you choose.

Study the example paragraph below and see if you can isolate the five basic components.

Mais ce qui m'a frappé le plus en Belgique n'a rien à voir avec les livres, le café, ou le rire. C'est en fait votre tolérance. Bien sûr que vous vous irritez et que vous vous emportez facilement à un niveau superficiel, mais dans votre fort intérieur, vous démontrez une tolérance exemplaire, surtout sur le plan de la race. Les Noirs chez vous, ce sont les Noirs—rien de plus, rien de moins. Serait-ce le fait que vous vous êtes bien installés au carrefour des nations? Quels que soient vos mobiles, vous avez une leçon à nous apprendre.

(See p. 74.)

They are:

1 *The main point*
   La chose qui m'a frappé le plus . . . c'est en fait votre tolérance.

2 *The explanation*
   Vous démontrez une tolérance exemplaire, surtout sur le plan de la race.

3 *The example*
   Les Noirs chez vous, ce sont les Noirs—rien de plus, rien de moins.

4 *The personal standpoint*
   Quels que soient vos mobiles, vous avez une leçon à nous apprendre.

5   *The context*

Serait-ce le fait que vous vous êtes bien installés au carrefour des nations?

Of course, if for every paragraph of every essay you attempt to produce a structure encompassing all of the five areas above, you will finally produce work of a standard, which, although advanced in its manipulation of vocabulary and structure, will prove tedious and unvaried through your efforts to rework constantly the same basic formula. An essay should appeal as much for its variety and freshness as for the impressiveness of its thought content. But, until you are sufficiently experienced to vary the pattern confidently, try to produce paragraphs containing at least three or four of the elements set out above.

The example paragraph below provides a pattern similar to the **five point plan**, but the author, writing with a greater experience of French than was the case in the last example, has adapted the basic method to suit his own personality and expression.

L'accusation, autrefois très juste, que Paris écrasait sous son pied le reste de la patrie, ne me semble pas toujours valable. Bien sûr que la France s'enrhume quand Renault éternue. La même relation se produit dans chaque pays où il y a de vastes entreprises. Pour comprendre cela, on n'a qu'à regarder l'ICI en Grande Bretagne. On peut même dire que la révolution industrielle a provoqué une certaine centralisation partout où elle a eu lieu. Ceci n'est pas un phénomène particulièrement français. En ce qui concerne la France, il faut reconnaître les tentatives qu'ont faites des gouvernements successifs pour réaliser une révolution économique, industrielle et même politique.

(See p. 80.)

Note how, for instance, the writer is not afraid of stating his own opinion at the beginning of the paragraph and of underlining the conviction of his feelings by the use of the very unequivocal *bien sûr que* and *on n'a qu'à*. At the same time, he has protected himself against the allegation of being too assertive in the expression of his attitudes by employing a balancing selection of expression, which is relatively analytical or qualifying—*autrefois très juste/valable/ certaine/n'est pas particulièrement/il faut reconnaître*.

It is interesting to see how this second, more experienced writer is beginning to combine certain of the **five points**.

The first sentence, for example, gives both the main point and the personal standpoint of the author. This is followed by a section in which he takes several sentences to develop a mixture of definition, example and context (*Bien sûr . . . particulièrement français*).

Try to keep in mind the idea that the five point plan is there to help you through to a position from which you will be able to write in a confident, fluent style, without always having recourse to the same major five articles of faith in each and every paragraph. But, for the moment, do not be afraid to develop early confidence in your writing by planning your units to include three or four of the five basic elements.

If you have practised the exercises in the preceding chapters, you should now be in a position to begin writing complete paragraphs of your own in an essentially correct style which sounds French. Before you attempt the assignments below, allow yourself a brief revision of those you completed in Chapters 2 and 3.

Assignments

A   *Before writing whole paragraphs, one should be able to construct interesting sentences. Complete the sentences below, using the words and phrases in the box.*

1   On impute une mauvaise influence à . . . . . .
2   . . . . . soulève une controverse intense.
3   . . . . . est solidement établi(e) dans la société.
4   Des progrès sur la voie de . . . . . ont été accomplis.
5   L'homme risque de périr par . . . . . .
6   Ceci a suscité de nouveaux espoirs . . . . . .

7 Il y a tant de points de vue d'où . . . . . .

8 . . . . . pour se laisser beaucoup influencer par ce propagandiste.

9 Cela inspire . . . . . .

10 Parmi les principaux de . . . . . sont l'aristocratie.

11 Cela devrait inciter tous à . . . . . .

12 Plutôt faut-il s'émerveiller qu' . . . . . .

13 Une presse enchaînée . . . . . .

14 Tout dépend de l'importance que . . . . . .

15 . . . . . toujours à la vérité.

---

il ne soit pas obligatoire   on doit manquer de caractère

chez les pauvres   ceci ne correspond pas

le manque de tolérance   la télévision

encourage une uniformité d'opinion

sa mentalité guerrière l'on attache à l'enseignement

des doutes   l'énergie nucléaire

améliorer les conditions   l'on peut envisager le sujet

un rapprochement entre les deux adversaires

ceux qui soutiennent la cause de la monarchie

B *Complete the sentences below in such a way that they make sense. If you are in difficulties, search through Appendix B.*

1 Nul ne peut nier que . . . . . .

2 Le caractère distinctif du rugby . . . . . .

3 La télévision exerce . . . . . sur les spectateurs.

4 L'enseignement a cessé de répondre . . . . . .

5 Ils avancent dans . . . . . .

6 La consultation lui semblait . . . . . .

7 La balle est revenue . . . . . de l'administration du théâtre.

8 Cela provoque . . . . . chez les amateurs de musique.

9 Ceux . . . . . le sport ne contribue point au développement intellectuel ont tort.

10 Ce qui suit . . . . . comme une contradiction.

Below are a series of helpful expressions drawn from Appendix B and placed into categories according to the five point plan discussed in this chapter.

Five Point Help List

Main point statement
Il comporte aussi de graves dangers
Cela facilite les bons rapports internationaux
Nous risquons d'être en désaccord complet avec la réalité
Il ne faut pas se laisser guider par les émotions
. . . enseigne combien il est nécessaire d'être . . .
On peut conclure qu'il n'y a aucun rapport entre . . .
Comment concilier . . . avec . . . ?

Definition/explanation
Il démontre un . . . sur le plan de . . .
Ce fait se reflète dans . . .
En effet, la véritable signification de . . . réside dans . . .
. . . a cessé de répondre aux besoins de la société
Ne pas . . . ? Ce serait amplifier bien inutilement . . .
C'est sous la poussée de . . . qu'on est contraint à agir.

Example/illustration
Citons en titre d'exemple . . .
Il en est de même chez . . .
Considérez ceci surtout par rapport à . . .
Un ou deux chiffres adéquats offrent un grand intérêt
On n'a qu'à regarder . . .
Établissons une comparaison entre la situation en . . . et . . .
Dans le domaine de . . .

Personal opinion
En ce qui ma concerne
Pour ma part
À mon avis/Pour moi
Quant à moi/Sur le plan personnel

General context

Peut-être est-ce un héritage de l'idée que . . .

Le temps montrera dans quelle mesure . . . réussira

Le caractère distinctif de . . . se trouve dans . . .

Le public a tendance à penser automatiquement à sa . . . influence

Il est commun de nos jours d'attribuer . . . à . . .

. . . répond à une idée fixe de la part de la société

Sample paragraphs based on the five point help list

A

Le patriotisme

Dans le monde moderne un excès de patriotisme ne facilite aucunement les bons rapports internationaux. Ne pas accepter la nécessité d'une politique de compromis avec nos voisins serait amplifier bien inutilement la tension européenne. À mon avis, on n'a qu'à regarder l'histoire récente des relations anglo-sylvaniennes pour admettre la vérité de la situation. Le temps montrera dans quelle mesure l'Angleterre survivra, isolée sur sa montagne patriotique.

B

Faut-il tolérer la pornographie dans une société libre?

L'accessibilité de la pornographie dans n'importe quelle petite boutique, magasin de luxe ou à l'ordinateur comporte de graves dangers pour notre société et surtout pour les jeunes. Ce fait se reflète, à mon avis, dans le taux de viol et d'autres crimes contre le sexe féminin qui augmente sans cesse depuis la relaxation des lois contre la pornographie. Il est commun de nos jours d'attribuer une large part de la violence sociale à notre tolérance publique des phénomènes qui, autrefois étaient cachés aux yeux du citoyen *moyen. Si l'on érige des barrières contre la vente publique du matériel pornographique, on diminuera l'occasion de se faire pervertir.*

Note from the two examples how it is possible to write fluent paragraphs on very different topics, using the material given as a skeleton on which to hang the flesh of one's ideas. Note, too, that the use of such material does not prevent the authors from expressing ideas reflecting their own personalities and the strength of their own convictions.

The examples were in fact written deliberately to show strength of feeling, since it is often argued that to give students lists of expressions from which to draw will lead them into a bland, spoon-fed mentality from which they will produce essays that are merely a string of linked expressions. As has been stated elsewhere in this manual, its purpose is an almost diametrically opposite one. Once you become familiar with some of the new essay-style phraseology and acquire confidence in its use, it will provide a key to saying much more for yourself than previously, precisely because you have the tools. If, for example, you look closely at the two examples, you will see that several of the expressions which were taken from the help list have been altered or turned to accord more exactly with the writer's thought. Similarly, many of the locutions in the list, itself, vary from the original in Appendix B. No writer with any self respect wishes to restrict himself to constant regurgitation of other people's language. When, even at this early stage, you attempt the assignments below, try to make some changes in the expressions that you borrow, as well as producing several lines of your own language.

Assignments

A *Write paragraphs of six to twelve lines on each of the following themes, using the help list on page 35 and attempting to include at least four elements of the five point plan. The element which is best omitted is probably the statement of your personal standpoint, since in a full essay* *too frequent reference to your own opinion becomes tedious, especially as it is often obvious what your opinion is. Try to adapt some of the expressions you borrow.*

	Topic	Point
1	L'Internationalisme	Le Royaume-Uni, honnête insulaire
2	Notre Société violente— phénomène moderne?	La publicité accordée aux actes de violence
3	Le Motocyclisme	Le taux de mortalité

B *Use the help list to write single paragraphs presenting individual points relating to **any three** of the essay titles in Appendix C.*

C *Using the **whole** of Appendix B, write single paragraphs presenting individual points relating to any **five** essay titles of your choice in Appendix C.*

Sample Paragraphs

In this chapter you will find a series of sample paragraphs such as may be found in the beginning, main body or end of an essay. On pages 54–5 there is a series of related assignments.

Introductory Paragraphs

Mon vélo
Mon vélo n'est pas seulement quelque chose de nécessaire; il est plutôt une passion. Je n'aime pas être enfermé dans une pièce toute la journée et je prends toujours l'occasion de me balader en plein air quand elle se présente. En plus, prendre soin de mon vélo, me donne une activité pratique qui équilibre une vie autrement trop studieuse.

Moi et ma musique!
J'aime toutes sortes de musique. Ma préférence varie selon mon humeur; c'est à dire, si je suis surmené et si j'ai besoin d'un peu de repos, je vais écouter quelque chose de classique. Si, comme cela m'arrive souvent, le bruit me manque, je passe un peu de rock, le groupe 'Mano Negra', ou quelque chose de ce genre. Sans ma musique ma vie serait beaucoup moins intéressante.

La famille nucléaire
Dans ce contexte le mot 'nucléaire' n'a rien à voir avec la bombe hydrogène, mais plutôt avec la bombe sociale qui a explosé pendant

ce siècle. Dans les années 90 la plupart des familles se composent de la mère, du père et des enfants. Plus de grands-parents, plus de tantes ni d'arrière-grand-mères sous le même toit. Cette situation a son pour et son contre.

Le rôle du sport dans la vie scolaire

Le sport jouit d'une importance centrale dans ma vie à l'école puisqu'il contre-balance les tensions et les crises d'un monde académique et intellectuel. Comment supporter les années de travail en première ou même en sixième sans avoir l'occasion de se détendre en pratiquant son sport préféré? Il est toutefois possible chez certains gens de se consacrer aux activités sportives aux dépens de leur formation intellectuelle. Le sport est essentiel, mais avec modération.

Il n'y a point de caractère national!

D'un côté il est impossible d'envisager un seul pays de l'Europe Occidentale qui ne soit un mélange de cultures et de sangs, quand on se rappelle l'histoire de ces deux mille ans. On n'a après tout qu'à regarder le pot-pourri de races dans notre propre pays—Anglo-Saxon, Celte, Gaullois, Grec, Romain. Et pourtant il est quand même possible de percevoir des traits individuels appartenant aux nations particulières. L'importance de l'organisation personnelle en Allemagne, la loyauté à son patron-protecteur au Japon, l'indépendance des Britanniques, le panache des Français—tous impliquent la possibilité de discerner des traits de caractère communs chez la majorité des individus d'une nation quelconque.

L'Influence du sport sur le caractère

Une demi-heure dans le gymnase après deux leçons d'histoire est une période de décontraction irremplaçable pour bien des gens. Mais le sport signifie plus qu'une détente. La plupart du sport organisé à l'école implique un peu de coopération avec ses semblables. Ainsi, le hockey, le football, le rugby, le cricket, l'athlétisme apportent la nécessité de travailler en harmonie avec ses collègues. C'est déjà quelque chose.

La France, patrie des peintres
Depuis l'avènement des Impressionnistes vers 1870, la France est le foyer d'un bon nombre d'artistes qui jouissent d'une renommée mondiale. La réputation de Paris, en tant que centre bohème surtout pour le peintre, dure toujours, même si l'Angleterre est devenue le centre musical du monde. Quelles sont les raisons de cette concentration d'artistes en une France où même les peintres comme Van Goch, Picasso, Modigliani et Chagal, qui ne sont pas de ses originaires, ont été obligés de se naturaliser? Est-ce que ce sont seulement des raisons de climat naturel comme la célèbre lumière du Midi, ou est-ce qu'il s'agit plutôt d'un climat psychologique qui encourage leurs talents? Ou est-ce que c'est bien un mélange des deux?

Main Body Paragraphs

Fumer le hachisch?
La principale objection à l'emploi de cette drogue n'est pas difficile à trouver. La consommation des cigarettes-H mène à l'utilisation de produits toxiques beaucoup plus malfaisants dans une importante minorité des cas. Expérimenter avec le H devient un risque peut-être inacceptable en vue des dégâts humains infligés par les drogues plus dures.

La Violence dans les stades de sport
La solution la plus facile sur un plan superficiel serait de dresser des barricades ou même d'annuler les manifestations sportives. Mais ceci ne représente guère une solution, plutôt une capitulation. Si, comme nous l'avons discuté ci-dessus, ce comportement n'est qu'un reflet de l'état de notre société soi-disant civilisée, les mesures à prendre se trouvent dans cette société elle-même et dans sa ré-éducation, plutôt qu'exclusivement sur les terrains de sport.

Les Écoles compréhensives sont plus grandes qu'il ne faut!
Et pourtant la grandeur ne se présente pas comme un bienfait sans mélange. Pour chaque avantage il y a un inconvénient qui le contre-

balance. Pensons d'abord à la dépersonnalisation qu'apportent les grands collèges. Dans la majorité des établissements secondaires il n'est plus possible de connaître tous les élèves—ni du point de vue du professeur ni de celui des élèves. Dans les écoles gigantesques cette grandeur et le manque de familiarité suscitent d'autres difficultés continguës comme l'insécurité, la désaffection et l'intimidation. Si tout le monde se connaissait et s'il y avait plus de contact surtout sur le plan professeur-élève, maint problème serait résolu avant de devenir trop imposant, par le seul fait que l'on le remarquerait bien plus rapidement.

Le Chômage
Laissant à part les considérations économiques, il faut admettre que chaque participant dans notre société a le droit de travailler, quelque humble que soit son emploi. Mais il n'y a tout simplement pas les places nécessaires pour embaucher les milliers d'élèves qui quittent l'école chaque année. Il est donc nécessaire de redéfinir la base du travail. Si tout le monde veut travailler dans un système qui n'a suffisamment de situations que pour la moitié, chaque situation doit être partagée entre deux personnes. Les implications d'un tel développement sont énormes.

Comment corriger les jeunes délinquants?
Pour répéter ce que je viens de dire d'une façon un peu différente, les chiffres disponibles suggèrent que, s'il y a un lien entre la correctionnelle et le comportement futur des jeunes détenus, le résultat se trouve être contraire à celui prévu. C'est à dire que ceux qui subissent cette peine correctionnelle sont plus enclins à s'établir dans le milieu criminel que ceux qui reçoivent une punition appelée 'libérale'.

Concluding Paragraphs

Le Rôle du cinéma en France
Pour résumer, il faut absolument que le cinéma subsiste à cause de son double rôle en tant que moyen de divertissement et d'enseignement. Jusqu'à un certain point il peut être remplacé dans

ces deux buts par la télévision, mais non pas dans son utilité quand il s'agit de faire sortir les gens. Après tout, on ne peut pas toujours être chez soi!

Paris, la plus belle ville du monde
On ne saurait résoudre cependant la comparaison entre Paris, New York, Londres, Berlin, et n'importe quelle autre grande ville; puisque chacune a ses charmes à elle. 'Voir Naples avant de mourir!' voici un conseil qui pourrait être adapté pour louer les beautés de toute capitale. Tout ce qu'on pourra peut-être dire, c'est que celui qui n'a pas de plus belle ville dans son cœur, n'a pas de cœur.

Les Centrales nucléaires
Tout en faisant de mon mieux pour présenter les deux côtés du sujet, je ne peux m'empêcher d'avouer un parti pris où la logique ne joue aucun rôle. L'idée d'un accident nucléaire ou à l'intérieur même d'une centrale ou sur la voie ferrée par laquelle on transporte le matériel m'horrifie. En ce qui concerne l'énergie nucléaire, les risques l'emportent sur les avantages et de loin!

La Monarchie n'est qu'un archaïsme!
Quoi qu'on dise, toujours est-il que la monarchie subsiste et qu'elle continuera de subsister, parce qu'elle satisfait un besoin et dans la structure de la société et dans le cœur des citoyens.

La Musique pop
Pour finir sur un ton personnel, je dois dire que mes musiciens et mes groupes préférés représentent pour moi une soupape de sûreté. Je travaille bien et on m'appelle un citoyen responsable; je suis assez intellectuel et je suis sportif au même degré. Il ne faut pas croire que puisqu'on aime la musique pop on soit hostile à la société respectable!

Le Pétrole
Ne serait-il pas vain d'essayer de subsister sur ce qu'il reste de notre stock global de pétrole? Nous avons exploré dans cette thèse les moyens alternatifs de se réchauffer, de se propulser et de maintenir

l'industrie productive. Il y en a suffisamment pour résoudre cette question du pétrole pour de bon, pourvu qu'on y mette une bonne volonté.

L'Alcoolisme en France

Ce qu'il y a de certain c'est que nous avons tort de croire, tout en rédigeant le bilan de l'alcoolisme dans ce pays, que ce soit un phénomène particulièrement français. Nous n'avons qu'à jeter un petit coup d'œil chez nous pour comprendre que nous avons sensiblement les mêmes problèmes. Ne nous hâtons pas de juger nos collègues d'outre-Manche. Ils auraient très vite fait de nous rendre la réciproque.

Le Cinéma français

Comme je vous l'ai déjà signalé, j'ai vu tant de films français à la télévision et au cinéma que je risque de croire que la vie en France et surtout à Paris ne se déroule qu'à la façon de ces images en celluloïde. En plus, la France me semble peuplée uniquement de Gérard Depardieus, d'Yves Montands, d'Isabelle Adjanis et de Stéphane Audrans!

Paragraph Practice

In this section you will find a variety of essay themes similar to those set at Advanced and Degree Level examinations. For each title you are given an assignment to write a specific paragraph. Try to become accustomed to using material from Appendices A and B to help you.

For each of the assignments below, refer to Appendices A and B and to the model essays, using as much of the material in them as you wish. Try not to fall into the trap of expecting to use a new expression exactly as it stands. If you like the look of an item and feel that it might be useful, try to adapt it to your theme. If you feel the early titles to be too straightforward, start at what you think is the appropriate point.

A   *For each of the following titles write a paragraph of eight lines.*

    1   Un séjour en France *Introductory paragraph*

2	Mon passe-temps favori	*Introductory paragraph*
3	Les grandes vacances	*Concluding paragraph*
4	Une ville française	*Concluding paragraph*
5	Faut-il devenir une société de non-fumeurs?	*Introductory paragraph*
6	Les problèmes du troisième âge	*Introductory paragraph*
7	La position subalterne de la femme dans notre société	*Concluding paragraph*
8	Le chômage	*Concluding paragraph*
9	La France, pays des peintres	*Introductory paragraph*
10	À quoi servent les écoles?	*Concluding paragraph*

B *For each of the following titles write a paragraph of twelve lines.*

11	Comment envisagez-vous la société post-industrielle?	*Main body paragraph describing one of the benefits of less work*
12	Les ordinateurs nous sont déjà indispensables	*Main body paragraph, against*
13	La politique—carrière honorable?	*Main body paragraph, for*
14	Pourquoi apprendre une langue étrangère?	*Main body paragraph, against*
15	Le rôle de la science dans la vie de tous les jours	*Main body paragraph, describing one of the benefits*
16	L'énergie nucléaire—le pour et le contre	*Main body paragraph, against*
17	Comment justifier l'existence des écoles privées?	*Main body paragraph, for*
18	À quoi servent les examens scolaires?	*Main body paragraph, against*
19	Comparez et différenciez la France et l'Angleterre	*Main body paragraph, describing a disadvantage of one country in relation to the other*
20	L'enseignement en France	*Main body paragraph, illustrating one of its good points*

Continuous Assessment or Topic Essays

Many of you will be following an Advanced syllabus containing continuous assessment essays (often called *Topic essays* or simply *Topics*). These compositions may well be an alternative to a final or modular written paper. There is a tendency for some candidates to see topics as a soft option, but centres preparing candidates for Advanced examinations are well aware of the implications of continuous assessment work. It is crucial for you to realise that this way of writing is anything but an easy way out.

True, continuous assessment may remove the necessity to sit one final essay paper, often on an unseen theme, on which everything seems to depend. Yet, precisely because the conditions under which you write your topic essays are less demanding, exam consortia look for somewhat different things than if you were in an exam room with only your thoughts and a dictionary from which to fill your paper. Below is a list of the main points to bear in mind.

Continuous assignment essays may:

1   have their marks weighted, increasing in value from first to last essay.
2   draw extensively on source materials for general or more specific information, ideas and opinions.
3   tempt you into plagiarism as a consequence of point 2.
4   mature over several months, if you have been able to decide on your broad theme well in advance.

5 often be significantly longer than final exam essays.
6 be closely linked to a personal visit to a French-speaking country.
7 be an extension or a summary of the work done in a course module.
8 differ somewhat from a final essay in the kind and/or level of language you use.

Let us now examine each of these points in greater depth.

1 Mark-weighting

It is common practice for a series of continuous assessment essays to be weighted approximately 1: 2: 3, the intention being for them to be completed during terms 2/3, 3/4 and 5/6 of your Advanced course. Linked to this weighting will be a gradually increasing length requirement, so that you may be expected to write, say, 800, 1,200 and 1,500 words. This will have implications for your choice of topics.

A candidate having three or four essays to write will usually be able to place the topics in some sort of rank order, according to her/his confidence in the material, knowledge of the theme, etc. As a general rule, unless you are able to deal with a particular theme at a set time, it makes sense to tackle your essays in rising order of strength, i.e. start with what you think will be your weakest topic and work up to what you feel to be your strongest.

This is a particularly effective strategy, since, if your feeling about your command over the various themes is right, and you will usually be the best judge, you will be allocating your weakest topic to the section of your work where the fewest marks are available and your best one to the highest scoring section. In so doing, you will go a long way towards maximising your marks.

A point worth noting for those who are inclined to worry perhaps overmuch about your work; try not to let the importance of your first assignment get out of proportion in your mind. It may be worth something like one sixth of the marks available for a total of three essays and examiners will not judge you harshly on the significance of your first essay.

2 The use of source materials

Advanced Boards require you to state that your topic essays are all your own work. There is an obvious and a good reason for this precaution, since, with any kind of assignment essay, there may always be the temptation to lift, to copy extensively from the source materials you have used. This is a temptation to be strenuously avoided. At a practical level, the borrowed material is liable to stick out like a proverbial sore thumb against your own more sixth-form French and thus incriminate you. Such cheating in just one exam paper, if discovered, may well invalidate all your work for all subjects with your particular Board. It is simply not worth the risk.

At a more altruistic level, your own personal French is unlikely to improve if you rely on wholesale plagiarism and you will obtain no real sense of achievement from your work, so that you may be actively undermining your own future without realising it.

However, source material can be adapted in a constructive and creative manner. The sensible, consistent use of sources such as books, periodicals, pictures, computer print-outs, radio and TV transcriptions, will enrich and help give a balance to what you write. Additionally, it will often fulfil the useful function of helping you to structure your topic, since printed source materials normally have very clear themes and structures of their own, which you may adapt perfectly honourably to your own purpose. You will of course need to acknowledge your use of the source in the bibliography you provide with your completed essay.

3 Avoiding plagiarism

Let us look at two examples of a plagiaristic approach in which the lifted material has been reproduced in heavy type.

A

J'ecris une réponse à la lectrice dans votre dernier numéro, qui a l'intention de faire don de ses organes. À l'inverse de ce que vous lui conseillez, je suis de l'avis qu'il vaut mieux avoir toujours sur soi sa carte de donneur d'organes. De cette manière, en

> cas de décès, les démarches du chirurgien sont simplifiées face à la famille endeuillée qui, souvent, ne sait plus quelle décision prendre.

This imaginary candidate has read the above letter, which is typical of what might be found in any number of magazines, and incorporated material more or less verbatim in an essay entitled *La santé dans une société changeante.* He/she writes:

Je trouve personnellement qu'*il vaut mieux avoir toujours sur soi sa carte de donneur d'organes.* Car, *de cette manière, en cas de décès, les démarches du chirurgien sont simplifiées face à la famille* réduite au désespoir par la mort d'un proche parent.

B

> ### La conquête du sud
> La pratique des bains de mer, aristocratique dans son essence, demeurera longtemps confinée aux plages de la mer du nord, relativement proches de la capitale et plus exposées aux modes venues d'outre-Manche. Progressivement, elle gagnera l'Atlantique et ne s'acclimateront que tardivement sur la façade méditerranéenne.

Avant 1900, la majorité des vacanciers n'aimaient ni la plage ni trop de soleil contrairement à aujourd'hui. **La pratique des bains de mer, aristocratique dans son essence, demeurera longtemps confinée aux plages de la mer du nord, relativement proches de la capitale et plus exposées aux modes venues d'outre-Manche. Progressivement, elle gagnera l'Atlantique et ne s'acclimateront que tardivement sur la façade méditerranéenne.** Les Anglais n'étaient pas encore là, c'est-a-dire sur la Côte d'Azur, car ils préféraient moins de chaleur.

Example **A** does at least have the merit that the plagiarised material contained within it could have been written by the student, but it is nonetheless an act of literary theft which, if discovered, would render the candidate likely to exclusion from the whole of the Advanced examinations.

Example **B** is, if anything, even worse than **A**, in that there is no effort to conceal the contrast between the confident, highly literate stolen words of the plagiarised lines and the unsure French of the candidate. It, therefore, proceeds to insult the intelligence of the reader, as well as to invite examination suicide.

Both of these examples of plagiarism have something else in common. If the essays containing the paragraphs were sent to the examining consortium's assessor without the teachers at the centre having spotted and noted down the plagiarism, the teachers would also find themselves in serious trouble. This is not something a teacher would deserve and is, in itself, sufficient reason to dissuade a candidate from stealing material.

And, yet, there is a way in which the material lifted by the two example candidates could have been used perfectly legitimately and to very good effect. Look at how some of the originally offending material has now been framed and acknowledged within the students' own writing:

A

Dans une lettre au mazagine ...., une lectrice provenant de Lille a souligné certaines des questions principales qui devraient nous préoccuper, comme par exemple la nécessité de porter toujours sa carte de donneur d'organes, pour rendre plus facile les rapports entre le chirurgien qui doit enlever l'organe et la famille du décédé.

B

Dans son article, Robert Arnoux nous rappelle que les gens aisés qui avaient fait la découverte de la plage sont restés 'aux plages de la mer du nord, relativement proches de la capitale et plus exposées aux *modes venues d'outre-Manche'. (14)* La côte d'Azur sera pour plus tard!*

*Bibliography

(14)—L'invention de la plage—Robert Arnoux, Vivre en Provence, p. 29, June 1995*

The candidates have now shown that they are using a knowledge-able commentator's thoughts as a base or starting point. They have adapted the actual words used to their sentence patterns. Quotation marks are used where appropriate. The essayists have also acknowledged the source in their different ways. For this, they receive credit.

4 A long maturation process

Not infrequently, essay projects which are nurtured over quite a few months turn out to be amongst the most interesting, since it is often possible to see a clear progression within them.

Such projects tend to centre on material related to visits to the target country and the resulting essay may split naturally into sections on:

1   a pre-visit, setting the themes.
2   what occurs during the actual visit(s).
3   a post-visit analysis of what has occurred or been learnt.

There are other themes, such as *le Cinéma/la Musique/l'Économie/ l'Écologie*, which, because of the broad scope they offer, may be started early during your course and added to as you go along. A long maturing process can prove to be a considerable advantage when it comes to writing your topic essay, since it allows you to think through and develop a project over several terms. However, given the course pressures which exist, you may find it all too easy to concentrate on other, more pressing aspects of your studies. As a result, you may find yourself leaving the research and writing up of a topic until close to your deadline. Some Boards try to help you avoid this trap by providing documentation requiring you to note with your teachers the times at which specific stages of the topic work have been accomplished. If your Board does not follow such a procedure, it may be helpful to ask your teachers to set you a set of mini deadlines, to keep you to task and time.

5 The length of topic essays

Topic essays are almost always required to be considerably longer than their final exam equivalents. Continuous assessment tests different skills from those required in the exam room, not least of which is the ability to use relevant resources to develop your ideas on a theme over a reasonable period of time.

The relatively long word count you will be given in which to put across your ideas should be used wisely, since it can be easily wasted. The following list of DOs and DON'Ts will help you use the length most effectively.

DON'T fall into the trap of . . .

. . . starting with too few themes and sub-themes.

. . . seeing the essay only in terms of its length.

. . . counting the length as you go, paragraph by paragraph.

. . . padding out ideas just to make the length.

. . . copying large slabs of verbatim quotation.

. . . dealing at length with side-issues.

. . . tailing-off as you begin to reach your word target.

DO . . .

. . . plan how to relate your themes to the length.

. . . use your space wisely, to provide a balanced argument.

. . . use (short) quotes sparingly.

. . . refer to other people's opinions.

. . . consider using questionnaires and personal interview material.

. . . leave enough room to end on a high note.

. . . bring your essay to a natural close.

---

6 Linking your topic to a visit to a francophone country

Using a visit to a French-speaking country as a basis or as a means of illustrating your topic is one of the best approaches you can choose. It shows:

1   genuine interest in the language and country.
2   commitment (you have made the effort to visit the country).
3   common sense! You can find a wealth of supportive materials during your visit(s).

There are many fairly obvious ways in which topic and visit can be related. The visit lends itself particularly to themes which are:

(a) geographical—the study of a town, region, etc. See Chapter 7.
(b) sociological—particularly a comparison between situations in the target country and your own.
(c) cultural—you will find relevant materials to be far more readily available in the area visited than at your home base.

You can use very straightforward strategies to allow you to link your visit successfully to virtually any topic. The trick is to use the one excellent resource that is always on tap when you are abroad—the people! By encouraging French-speakers in the area(s) you visit to agree to a short taped interview and/or to write down their views on, say, a literary figure/politician/musician/local personality/current event/local problem/new venture/international issue/historical legacy/sporting controversy, you expand vastly the scope of your topic essay and demonstrate a considerable degree of initiative on your part.

When you are planning such interview work, try to take a different slant on your topic from other members in your teaching group. When examiners come to assess the work of individuals within an examination centre, there is often the impression of a lack of spontaneity across the whole group of candidates. This is largely caused by most candidates choosing not only identical topics, but also identical aspects of those topics. In these instances the examiner is likely to feel unable to reward individuals very highly for individual content and ideas.

On the other hand, French-speakers who have no direct connection with your school or college and who are interviewed on their home territory are likely to have a fairly independent slant on whatever theme you wish them to discuss. Often, they will provide a personal view or involvement, which may be quite unusual. Seize on such material with alacrity; it is manna from heaven. It will give you the chance to look at the topic from an unusual viewpoint and you will obtain credit for having had the wit to look for unusual, more colourful individuals with whom to discuss your theme.

7 Essays on course modules

If you are following a purely modular course in which you have to study, say, five or six modules over two years, you are likely to be faced with the pressures of planning, developing and producing essays over a relatively limited period of time in order to meet module deadlines. To ensure that you are able to give of your best, you are advised to:

1   look out for relevant materials well in advance of the module, via the press, radio, television, literature, the arts, and French-speaking people of your acquaintance.

2   ask your teacher(s) what materials they would recommend you to look for in advance.

3   use your French assistant(e) and any other francophones you may know, to help you talk round the issues. Some of these people may be prepared to be interviewed on the topic. A chance remark by one of them may give you a completely new slant on your theme.

4   If you follow the above suggestions reasonably conscientiously, you should be able to build up files of material in advance of the actual module period. This will allow you to make brief, general plans relating to your early ideas for topic essays. Such preparation will prove invaluable and will help you not to panic.

8 The language used in coursework essays

The language used in essays written under open, non-exam conditions is expected to be of a somewhat higher level than that produced in a closed exam. Coursework can and should be mulled over and all manner of reference books may be used. Candidates have time in which to change their minds, their lines of thought, to look for better ways of expressing ideas, etc. This means that, for equivalent grades, a more advanced, tighter French is expected of you when you produce an essay as an item of coursework than would be expected in the exam room.

Of course, you will find all manner of language which suits your theme in the press, radio and other sources you use. Do not be afraid to borrow expressions along the lines suggested on pages 60–1, but avoid copying whole sentences and ideas.

7

The Background/ 'Geography' Essay

Décrivez les avantages d'une ville ou d'une région dans la Francophonie que vous connaissez.
OU BIEN
Pourquoi visiter votre ville jumelle?

Such essay titles as these seem on the surface to be a ready source of high marks, since they look so easy. But, in their apparent easiness lies a snare for the unwary. Why should this be so? The questions look so undemanding that candidates may easily be lulled into one of several traps. They may find themselves:

1 providing a potted guided tour.
2 relating a series of trite personal anecdotes.
3 sounding like a guide book.
4 writing almost exclusively in the present tense.
5 providing an essay which is very basic in tone.

With so many possible disadvantages, why do the examining consortia continue to set this type of background essay? They do it for two manifest reasons. Firstly, they try to ensure that there is at least one question on the paper which less academically-minded candidates will feel they can tackle, especially as so many Advanced students will have visited the host country and be able to write from personal experience.

Secondly, the consortia hope to encourage those enterprising candidates who used their visit(s) to a French-speaking country to widen their horizons, to look beyond the cafés, old buildings and beautiful scenery, to discover *'la France profonde'*. When we look at the above rationale, we should not be surprised to discover that candidates tend to perform either very well or very poorly with the background/'geography' essay.

So that you may avoid the traps referred to above, all of which lead to poor writing, let us look at a series of very moderate approaches, accompanied each time by a piece of work from a more committed candidate.

1 The potted guided tour

A

Dans la région toulonnaise il y a toutes sortes de plages sablonneuses et rocheuses comme Hyères, Porquerolles (une petite île), Giens (une presqu'île), Sanary et Bandol où on peut aller se baigner et s'amuser. On y voit beaucoup d'estivants et on peut se détendre, en se bronzant, aller aux discos, etc., etc.

B

Les plages et le littoral de la côte toulonnaise continueront à souffrir des mêmes problèmes qu'on a trouvés autre part sur la Côte d'Azur, surtout de la dégradation rapide causée par un excès de tourisme et par une augmentation importante dans le taux des transports en tous genres provenant d'Italie.

The difference in approach between candidates **A** and **B** is both wide and obvious. Candidate **A** ambles along, as if writing a chatty, uninformative and rather dull letter to a friend. The level of thought and language is within the reach of a very good candidate at Key Stage 4 of the National Curriculum.

Candidate **B** has clearly thought about the same region in some depth and looked at what is happening to it with a degree of analysis and a critical eye. Candidate **A** would score moderately on language content and poorly on ideas, whereas Candidate **B** would score highly for both language and ideas.

2 Trite personal anecdotes

A

Pendant l'échange j'ai visité le vieux port et j'ai fait la connaissance du capitaine d'un grand bateau toulonnais, qui connaissait le père de mon corres. Il a été très gentil pour moi et j'ai fait la visite de son bateau. C'était très intéressant pour moi et j'ai vu des produits comme les légumes, les fruits, etc., que les Grecs exportaient en France. J'ai rencontré aussi l'équipage du bateau et j'ai parlé avec eux.

B

J'ai fait la connaissance du capitaine d'un grand bateau toulonnais, qui m'a expliqué comment Toulon, qui garde toujours son rang de deuxième port français, exerce un rôle significatif dans la navigation commerciale. La ville de Toulon évolue comme le reste de la France et ne se contente pas de son passé militaire, dont elle puisse être quand même très fière. En plus du port naval et de l'arsenal maritime, elle jouit depuis des années d'un trafic de marchandises, qui se concentre dans de nouvelles installations dans l'anse de Brégaillon. Si seulement Sandport que je connais si bien pouvait s'adapter de la même façon au lieu de se faire un local ultra-touristique!

Example **B**, while by no means an ambitious, in-depth analysis, reveals a candidate from the same school exchange party as **A**, who was prepared to provide more solid, pertinent detail and to use the encounter with the sea captain to develop a positive comment about the changing role of Toulon as a maritime port. The reader feels that the candidate has made active efforts to learn from his visit to Toulon and is able to provide a valid comparison with his own coastal town. Once again, Candidate **B** scores much more highly than **A** for both language and content.

3 Sounding like a guide book

The last writer managed to avoid the guide book trap by giving her prose a personal feel, through developing her meeting with the captain and referring to her own town as a point of comparison. These points counterbalance neatly the several geo-economic details.

However, examiners frequently encounter passages along the following lines which could have been taken directly (as this one was) from a brochure obtained from the local *Syndicat d'initiative*.

C

À l'entrée de la plage de Nulbord se trouve un parking gratuit au petit bonheur, mais il faut noter toutefois que nombre d'habitués ont leur place 'réservée' (certains y passent toutes leurs vacances). En effet, la plage de Nulbord, qui se décompose en deux parties, côte est et côte ouest (quelques 4 km à gauche jusqu'à l'embouchure du Rhône, quelques 4 km à droite jusqu'à une barrière de rochers) est aussi belle que surpeuplée.

This passage has clearly been lifted in its entirety from a local brochure or magazine, in which it would have been best left. All it does is to present in formal language certain factual and geographical details. There is no personal comment or interpretation by the candidate, who could even be deemed to be insulting the intelligence of the reader.

A student who had really been to 'Nulbord' gave a personal and perceptive slant on this same beach:

D

Il existe des rumeurs sur la fermeture possible de la grande plage de Nulbord, ce qui nuirait aux intérêts financiers des habitants et de la municipalité. Certains visiteurs reviennent à la plage d'été en été et se réservent une place ou même un emplacement perpétuel avec tout leur équippement, même s'il y a une interdiction du camping sauvage en France.

De temps en temps on entend des différends entre 'squatters', visiteurs valables et municipalité. Le problème légal, c'est qu'on ne sait pas au juste quelle partie de la plage appartient aux services maritimes et quelle autre partie à la municipalité. Pour moi, c'est une histoire infiniment triste, parce qu'on risque de perdre un si bel agrément qui contribue au bonheur des estivants et aux moyens d'existence des riverains pour l'égoïsme d'un certain nombre de campeurs qui s'imposent par leur présence quasi permanente.

Example **D** shows how the student has seen for herself a situation briefly alluded to in the brochure material used by **C**, explained it in her own words and given her own personal reactions, all of which lead to genuinely interesting, well-written comment.

4 Present tense writing

When we write an essay on a town or regional theme, there is often a temptation to express everything in terms of present time. Writing almost exclusively in the present tense is a perfectly valid exercise, but is to be avoided in an Advanced essay. An exam composition couched exclusively in the here and now can be self-defeating, since it tends to produce a limited range of language.

Why should this be so? Why should candidates writing correct French in the present tense have disadvantaged themselves? When we think about it, the answer is fairly self-evident. To score highly for language and thought content, candidates are expected to use a variety of language, acting as a vehicle for insightful observations,

pertinent comparisons, often with past situations or events, suggestions for future action, etc. To do this we have to be able to manipu-
late a variety of tenses, since it is precisely the perfect, imperfect,
future, conditional, etc., which allow us to roam in our thoughts
between the here and now and past or future occurrences and states
of affairs. Additionally, a lack of tense *variety* provides a prose which
is flat, often to the point of tediousness. On a practical level, the
examiner cannot mark-up candidates' work either for language
manipulation or for suppleness and development of ideas.

Let us take a look at a typical present tense example, followed by a
re-working of the material, showing how it could have been
widened significantly in its scope.

F

La Loire s'appelle aussi 'la rivière traîtresse', parce qu'elle change de
direction soudainement avec beaucoup de trous. Il y a des désastres
de temps en temps avec des gens qui se noient. On trouve du sable
dans les poumons des gens qui se noient. En Touraine, le bord du
fleuve s'éffondre et quelques écoliers qui pique-niquent tombent
dedans. Encore des morts. Le professeur était très choqué. Il y a une
enquête par la police. Faites attention à la Loire. Ne nagez pas, ne
pataugez pas dans la Loire. C'est très dangereux.

G

On a toujours connu la Loire comme 'la rivière traîtresse' à cause de
ses changements d'humeur et de cours et des petits tourbillons sous la
surface calme de l'eau. Dans la dernière décennie comme avant, il y
a eu une suite de noyades et très souvent on a trouvé beaucoup de
sable dans les poumons des noyés pendant l'autopsie. À Tours, le bord
du fleuve s'est effondré pendant que quelques écoliers y pique-
niquaient et laissaient traîner leurs pieds dans l'eau. Après
l'enquête obligatoire par la police, on a répété le conseil usuel. Il faut

se méfier de la Loire en évitant la tentation de nager ou de patauger là-dedans.

Notice how student **G**'s competent use of the perfect and imperfect allows him to avoid providing a superficial analysis of what happens when we take the Loire for granted. We learn much more from **G** than **F**, though the basic facts are the same.

5 A very basic tone

Example **F** may well have grated on you or alternatively made you yawn, because of its lack of both tone and content. Yet, it is typical of a certain kind of rudimentary composition frequently offered up to examiners, combining as it does, all the faults we have looked at over the previous few pages.

We know that examiners hope to read material containing a mixture of good, reasonably lively French and appropriate ideas. But the plain fact of the matter is that when markers receive work like Example **F**, looking as if it could well have been written by a GCSE candidate, then a GCSE level is the sort of score its writer can expect to obtain. An Advanced course is intended to take students one or two years beyond GCSE. This in no way denigrates or belittles the excellent system of Key Stage 4 attainment and assessment. It is simply a question of appropriateness. A good test when you are producing a background essay on a geographic theme is to ask yourself, *Could I have written almost exactly this at GCSE?* If the answer is yes, then you know that your language and content need significantly more work on them.

Model Essays

The model or specimen essays in this Chapter are meant to provide a base from which you may develop your own essay style and content over a wide variety of topics. They have been graded and divided into sections. The early models in Section A offer examples of how straightforward topics might be handled satisfactorily by students making their first attempts at essay-writing. The essays in Section B progress to a sophisticated standard and obviously have more of a French feel to them, but there is much natural French which can be extracted by the student at an early stage and put to good use.

At the end of the Chapter, there is a section providing brief commentaries in English on some of the model essays (see page 89).

Section A

Mon premier séjour en France

L'année dernière je suis allé en France pour la première fois et j'ai passé quinze jours à Tours. Si je dis que cette visite a changé ma vie, c'est peut-être une exagération, mais elle a quand même modifié quelques-unes de mes attitudes—ce qui est probablement la même chose. Qu'est-ce que j'ai appris pendant cette visite? Qu'est-ce que je vois maintenant sous une toute autre lumière? Quelles sont les leçons de cette visite? Commençons par la partie négative.

Si les gens que j'ai rencontrés sont typiquement français, il faut dire tout d'abord que le sens de l'humour des Anglais leur manque. Cela ne veut pas dire qu'ils ne rient ni ne sourient. C'est plutôt qu'ils semblent moins ouverts, plus pointilleux. Je parle des adultes, bien sûr. Les jeunes ne sont pas très différents de chez nous.

Les Français semblent aussi plus conscients de la politique. Pour moi, cela compte parmi les inconvénients de cette race, parce que je suis nul en politique et que je n'y porte aucun intérêt. Cela est peut-être un défaut chez moi. Si oui, passons outre.

Après ce que vous venez de lire, ce qui suit risque d'être pris comme une contradiction. Quelque chose que j'ai remarqué et qui ne m'a pas plus du tout est la grande disproportion entre le niveau de vie des riches et des pauvres en France. Toute nation aura toujours ses ploutocrates et ses plébéiens, mais la disparité entre les deux extrêmes en France, cela doit diminuer. Si ceci est un commentaire politique, je vous demande pardon!

Jusqu'ici, j'ai fait mention de trois défauts qui m'ont sauté aux yeux en France. Aux côtes positifs de la vie française, selon moi, il m'est difficile de n'en choisir que quelques points.

Tout d'abord, l'attitude des Français vis-à-vis des livres m'a fasciné. Je n'ai jamais vu autant de gens acheter un si grand nombre de livres. En tant que bibliophile, je vous salue, Mesdames, Mesdemoiselles, Messieurs, les lecteurs français! Qu'enfin il en soit de même chez nous!

Et je dois en dire autant pour vos cafés. Aller au café, ce n'est pas seulement une habitude, c'est une marque de votre civilisation. Encore une fois, chapeaux bas, MM les Français!

Mais la chose qui m'a frappé le plus, n'a vraiment rien à voir avec les livres, le café, ou le rire. C'est en fait votre tolérance. Bien sûr que vous vous irritez et que vous vous emportez facilement à un niveau superficiel, mais dans votre for intérieur, vous démontrez une tolérance exemplaire, surtout sur le plan de la race. Les Noirs chez vous, ce sont les Noirs—rien de plus, rien de moins. Serait-ce le fait que vous vous êtes bien installés au carrefour des nations? Quels que soient vos mobiles, vous avez une leçon à nous apprendre.

Maintenant, cher lecteur, il faut faire le compte. Vous aurez remarqué que j'ai commencé par un regard jeté sur un pays et que j'ai fini par une conversation avec des semblables. Voilà ce que j'ai appris de ma première visite en France et qui sera la justification de mon retour là-bas. La France pour moi, c'est son peuple—calme, bruyant, vexé, tolérant. C'est son peuple que j'aime en dépit de et même pour ses défauts. Tout comme j'aime mes compatriotes britanniques.

Ma ville

J'habite une grande ville, Newcastle-upon-Tyne, appelée la capitale du Geordieland. Peut-être quitterai-je Newcastle pour compléter mes études quelque part d'ailleurs en Angleterre, mais je ne l'abandonnerai pas, car le Northumbria est mon pays, ma patrie même, le Geordieland étant plutôt une principauté indépendante qu'une simple région britannique. Mais, revenons à la ville elle-même.

Il est impossible de décrire Newcastle sans faire mention de ce phénomène Geordie, parce que la ville et ses habitants se sont développés au cours des siècles et on est toujours conscient de l'histoire d'un peuple pauvre mais fier.

Pour commencer, il y a le château au bord du Tyne qui a donné son nom à la ville naissante. De ce vieux château, il ne reste pas grand'chose, mais les bribes de cette forteresse qui en son temps dominait le Tyne vous rappellent les disputes violentes entre l'extrême Nord de l'Angleterre et l'Écosse. Tout près, s'étendent le Pont High Level et le Pont de Scotswood, souvenirs, eux aussi, d'un passé, mais d'une autre sorte d'histoire, celle, de la révolution industrielle. Newcastle est célèbre pour ses ingénieurs, surtout peut-être pour George Stephenson, le premier homme à avoir construit un chemin de fer. Ces deux ponts, des édifices imposants, vous rappellent la contribution de cette ville au développement de la société industrialisée.

Il y a même une locution en anglais, 'C'est comme si vous envoyiez du charbon à Newcastle!' qui vous laisse apercevoir l'importance de la ville sur le plan industriel. Le fer et le charbon sont deux produits durs, puisés dans la terre de cette région grâce aux efforts d'une population également dure et tenace. Cependant, il n'existe pratiquement plus d'industrie ferreuse et presque pas de mines aux alentours de Newcastle, et avec la disparition de ces deux piliers de l'économie locale il y a eu celle de la fabrication des bateaux, troisième base de la prospérité fragile du Tyneside. Tout ceci se reflète dans le changement du paysage immédiat et dans l'aspect de la ville elle-même. Des quartiers entiers comme Scotswood et Elswick, crus mais vivants, ont disparu ou ont été transposés ou transformés en gratte-ciel et en HLM, abandonnés eux-mêmes après moins de vingt ans d'utilisation. Il y en a qui disent que le caractère de Newcastle meurt avec la mort de ces vieux quartiers.

Comment se mettre en désaccord avec cet avis quasi-officiel? Pour moi, la culture Geordie subsiste et fleurit dans des centaines d'auberges, dans les clubs des quais qui abondent et dans des clubs ethniques. Et puis le sens de l'humour des Goerdies jouit d'une renommée mondiale et le raconteur et chanteur, Bobbie Thompson, démontre cette qualité dans le music-hall, chez Bambras.

Et notre musique, notre héritage folklorique est en très bonne santé. Le visiteur connaît certainement 'Blaydon Races', mais ne sait peut-être pas que d'autres chansons connues un peu partout dans le monde comme 'Bobby Shaftoe', 'Blow The Wind Southerly' and 'The Keelrow' sont également geordiesques. Visitez nos auberges et vous allez entendre chanter et voir danser notre musique, basée sur notre instrument 'national', la cornemuse northumbrienne.

Même si les industries traditionnelles vont en diminuant, même si de grandes parties du vieux Newcastle s'effondrent, la ville contemporaine présente un aspect gai au visiteur, car les habitants gardent leur vivacité et leur gentillesse. Ils vous saluent dans la rue quels que soient le temps et le climat économique. Ils ont le temps de s'arrêter pour parler et ils rient facilement. C'est une grande ville de quelques 350000 habitants, mais elle reste dans un sens très petite et on a souvent l'impression que tout le monde se connait. Quelque grande qu'elle soit, elle semble toujours un patelin, un bled—mon patelin, mon bled.

La cuisine française

En ce qui concerne la cuisine française, je ne sais pas grand'chose. Je viens de faire ma première visite en France et j'ai appris plusieurs choses sans devenir expert. Voici la liste de mes expériences, qui ont été un mélange du bon et du mauvais.

Pour commencer, les découvertes que je n'ai pas aimées. Il y a eu deux plats que j'ai dû avaler et qui m'ont rendu un peu malade. Ce sont les escargots et les tripes du Mans. Comme vous savez sans doute, ce sont deux spécialités régionales. La première est assez coûteuse à cause du processus nécessaire pour les nettoyer dans du sable. Même si les escargots sont propres, je n'apprécie point leur goût et leur je ne sais quoi de caoutchouc. Les tripes possèdent cette même qualité de caoutchouc et, par-dessus le marché, chez elles on discerne facilement qu'elles appartiennent à l'intestin de la vache. Elles ne me disent rien. J'ai été gêné au moment où j'ai dû refuser mon assiette pendant le dîner puisque mes hôtes m'avaient témoigné tant de gentillesse.

Je n'aime pas non plus la façon de manger les légumes est la viande séparément. Je préfère le mélange anglais, où, par exemple, on prend les haricots avec la côtelette. Un tas de légumes verts, entassés seuls sur une assiette—ceci ne m'encourage pas à manger.

Troisièmement, la tendance à la mode est de manger relativement peu au déjeuner. J'aime me restaurer en mangeant quelque chose de fortifiant après la matinée et je trouve très difficile de me restreindre jusqu'au repas du soir avec rien d'autre qu'un casse-croûte à midi. Et, cependant, le dîner, ça, c'est quelque chose d'extraordinaire qui de temps à autre justifie l'attente!

Par contraste avec ce qui ne m'a pas plu, les découvertes agréables que j'ai faites sont nombreuses. J'adore les plats comme la ratatouille et le cassoulet qu'on mange un peu partout dans le Midi. Je savoure aussi les fruits de mer que j'ai dégustés pendant un court séjour sur la côte bretonne. Autre chose qui me plaît, ce sont les rillettes de Tours, une sorte de pâté qu'on confectionne avec du porc.

J'approuve également la nette tendance à éviter les poudings, les repas frits et les bouillis. Nous autres Britanniques, ne mangeons-nous pas gras et trop sucré? À part une tarte aux pommes et des bananes flambées, j'ai été bien content de me priver de ces choses!

Chose curieuse et un phénomène qui m'a frappé depuis le commencement de cette composition—c'est le fait que je trouve très difficile sinon impossible de parler de la cuisine française sans penser au vin. En effet, je n'ai que dix-sept ans et c'est seulement à l'occasion de mon premier séjour en France il y a quelques semaines que j'ai dégusté du vin pour la première fois. Certes, mes parents ont été un peu consternés de savoir que j'en avais bu au moins un verre à presque chaque repas, mais, heureusement, je les ai convertis! Maintenant on va en consommer une bouteille de temps en temps chez nous. Après tout, je vous demande, comment manger un homard ou un plat de moules sans, par exemple, une bouteille de muscadet pour l'arroser?

En fin de compte, il faut que vous sachiez que ma mère elle-même a été influencée par la cuisine française après ma visite là-bas. Hier on a mangé du coq au vin. Si vous connaissiez ma mère, vous sauriez que ça, c'est un progrès!

Les vacances

Pour moi, il y a deux sortes de vacances—celles où nous restons chez nous et celles où nous partons en voyage, normalement pour rendre visite à des parents. On me dit qu'à mon âge, c'est-à-dire, vers la fin de l'adolescence, les jeunes n'aiment plus partir en vacances en famille. Ce n'est pas le cas chez moi, puisque les vacances familiales représentent quelque chose de spécial. Les vacances sur place, je ne les apprécie point.

Depuis ma plus tendre enfance nous maintenons l'habitude de quitter le foyer trois fois par an—à Noël, à Pâques et pendant l'été. Pour les vacances de mi-trimestre, nous n'avons pas de projets. En tant que famille nous avons de la chance dans le sens que nous avons des parents à la montagne, à la campagne et au bord de la mer. Ceci nous fournit l'occasion de choisir selon notre gré, mais nous avons tendance à organiser nos visites à tour de rôle avec une certaine constance. À titre d'example, nous passons chez notre grand-mère maternelle dans le Yorkshire vers le vingt-trois décembre et chez nos deux tantes dans le nord du Pays de Galles et à St. Ives pour les vacances de Pâques et d'été. Après tout, aller au bord de la mer en été, c'est logique.

En principe nous ne faisons presque pas de visites à l'étranger, pas à cause des parents, mais pour la seule et bonne raison que cela coûte cher et que notre famille est assez nombreuse. Elle se compose de six membres. Il y a des limites à l'argent disponible. Mon père et ma mère travaillent dur et n'aiment pas gaspiller leur argent. 'Après tout, la mer, c'est la mer, partout où on va!' dit mon père. Je ne me range pas tout à fait de son côté là-dessus, mais puisque nous sommes une famille heureuse, nous savons nous divertir là où nous nous trouvons. L'opinion de mon père se base probablement sur notre seule visite à la Costa Brava. Ceci a été un désastre! Papa et maman qui sont très économes de nature ont regretté l'argent qu'ils ont dû dépenser pour ce qu'ils ont appelé 'un Blackpool à la Méditerranée!' Quant à moi et mon frère, Simon, nous nous y sommes bien amusés. Nous nous sommes fait bronzer très rapidement et nous avons joué au football sur la plage chaude. C'était formidable! J'ai aussi rencontré une jeune fille très agréable avec qui je corresponds toujours. L'été prochain, je compte passer une quinzaine chez elle à Madrid.

L'année dernière ma famille et moi avons fait un voyage ensemble à Boulogne. Cela n'a duré que douze heures, mais cela a valu la peine. Maman et les filles sont allées faire des courses et Papa, Simon et moi, nous avons visité le port, pour voir arriver les bateaux de pêche. Pour moi, c'est un peu comme la Cornouaille anglaise que je connais bien.

Quand nous sommes chez nous en vacances, j'essaie de gagner un peu d'argent. J'ai un oncle qui a un stand au marché ouvert à Newark. Il m'a embauché en tant que vendeur. J'y travaille autant que possible. C'est un peu gênant des fois si je vois les professeurs, parce que, étant en première, en terminale même, j'ai toujours du travail scolaire à faire. Ils n'ont pas toujours raison quand ils me critiquent, puisque je m'applique à mes études. Mais pour être honnête, il y a d'autres professeurs qui m'encouragent quand ils me voient au marché. Peut-être font-ils, eux aussi, quelque chose de différent pendant leurs vacances!

Paris, ce n'est pas la France!

La vérité de cette déclaration est si évidente et si incontestable, qu'il ne vaut pas la peine de la discuter, si on la prend au pied de la lettre. Mais, si l'on discerne sous cette remarque initiale une attitude plutôt désabusée sur les rapports entre Paris et les régions françaises et sur leur importance et leur dépendance réciproques, voilà une question à l'ordre du jour. Depuis et même avant l'époque de Louis XIV, la France a souffert d'une centralisation excessive où Paris a dominé le pays en nuisant aux intérêts du reste de cette entité géographique. Les Français des années 90 cependant, ne comptent pas vivre sur un plan historique. Comment la situation actuelle se caractérise-t-elle?

Toute une gamme de sondages récents révèle que le cousin campagnard n'apprécie point les attitudes des membres parisiens de sa famille, ni sa prospérité, qui semble souvent exorbitante, par rapport au niveau de vie dans les régions plus isolées de la France. 'Voilà les 75 qui arrivent!' devient vite un dicton pour les rustiques, un dicton qui équivaut à l'ancien 'Mettez les panneaux en place!' émis par les matelots en temps de tempête. Cette nouvelle pluie d'orage se révèle sous la forme des flots d'estivants parisiens qui inondent Concarneau et Cannes, Biarritz et Bordeaux, Fantaisie-la-Flèche et Bolus-la-Boue, au mois d'août.

En d'autres termes, l'Arcadien et le citadin se méfient l'un de l'autre et probablement à juste titre. Mais les grandes villes animées, elles non plus n'estiment pas leur grande sœur parisienne. Cet antagonisme ne réside pas exclusivement dans des antipathies historiques, mais plutôt dans la nécessité de se procurer leur portion du budget national, pendant que Paris, paraît-il, accapare la part du lion.

Ce n'est pas seulement sur le plan financier que les villes de province ont été obligées de rivaliser avec la capitale. Elles doivent lutter aussi dans d'autre domaines, surtout dans celui des Arts où Paris jouit d'une renommée mondiale en tant que centre culturel. Jusqu'à une date relativement récente, la majorité des visiteurs d'outre-mer et d'outre-montagne ont conçu la France comme une combinaison de Paris et de la Côte d'Azur sans rien dans l'intervalle.

L'accusation, autrefois très juste, que Paris écrasait sous son pied le reste de la patrie, ne me semble pas toujours très valable. Bien sûr que la France s'enrhume quand Renault éternue. La même relation se produit dans chaque pays où il y a de vastes entreprises. On peut même dire que la révolution industrielle a provoqué une certaine centralisation partout où elle a eu lieu. Ceci n'est pas un phénomène particulièrement français. En ce qui concerne la France, il faut reconnaître les tentatives faites par des gouvernements successifs pour réaliser une révolution économique, industrielle et même politique.

Le tourisme a contribué à faire mieux connaître les régions françaises telles que la Normandie et l'Auvergne grâce aux milliers de visiteurs qui les découvrent chaque année. Quant aux changements culturels, Paris a certainement son Beaubourg, mais on perçoit une naissance ou une renaissance culturelle en province également. Par exemple, rien qu'à entendre l'orchestre de Nantes, on devine un Nantais gai et dispos.

S'il faut revenir à nos moutons économiques, comment expliquer le succès financier de la France sans se rendre compte de l'amélioration dans l'économie régionale? La politique de décentralisation est en voie de parvenir à ses fins, tout en offrant un large degré d'autonomie aux régions et en suscitant chez elles une nouvelle fierté locale.

Non, Paris n'est certainement pas toute la France, mais ce serait trop aisé que de la condamner d'avoir été responsable de tous les maux régionaux. Dans chaque pays il existe une sorte de ressentiment contre la capitale. En Angleterre, par example, on affecte un certain dédain pour Londres et pour ses habitants—pas pour les vrais Londoniens, les Cockneys, vous comprenez, plutôt pour les parvenus qui infestent la grand'ville et les faubourgs. Et qui sont ces parvenus, ces poseurs? Logiquement, cela doit être nous autres provinciaux qui y prenons racine. Il en est de même en France!

Section B

La poésie n'intéresse que le sexe féminin

'L'amour dans la vie d'un homme est une chose à part, pour une femme il est toute son existence.' Si l'on accepte la vérité de ce célèbre aphorisme de Lord Byron et avec ceci l'avis que les sources de la poésie résident pour la plupart dans l'amour, comment contredire le titre de cette composition? Toujours est-il cependant que la grand majorité des poètes appartiennent au sexe masculin. N'oublions pas non plus que pour nous autres créatures de ce vingtième siècle, la guerre, un domaine exclusivement masculin, a fourni l'inspiration d'une grande partie de la création de la Muse. D'où proviennent ces contradictions apparentes?

Pour entamer notre sujet, considérons deux poètes, un Français et un Anglais, Boris Vian et Siegfried Sassoon. Pour les deux, la guerre sur un plan colonial et mondial, a provoqué une réaction dont la force risque d'ébranler l'édifice de leur personnalité.

Pendant longtemps Boris Vian est resté l'observateur ébahi de la guerre algérienne pendant les années 50. À la longue il a rompu son silence avec 'Le Déserteur', un poème notoire, dont le censeur n'a pas retiré l'étiquette de proscrit quand il a été chanté par Reggiani avant 1965, à cause de la simple puissance des paroles, des images qu'elles ont évoquées et des émotions qu'elles ont déclanchées. Un simple conscrit écrit une lettre au Président de la République, contenant son refus de faire son service militaire:

> C'est pas pour vous fâcher
> Il faut que je vous dise
> Que ma décision est prise
> Je m'en vais déserter.

Quels sont les mobiles du jeune homme? Tout simplement, sa famille et par extension la France ont vu assez d'horreurs:

> Depuis que je suis né
> J'ai vu mourir mon père,
> J'ai vu partir mes frères,
> Et pleurer mes enfants.

Son histoire est l'histoire d'un pays et d'un continent, qui fait écho dans les mots:

> Je ne suis pas sur terre
> Pour tuer les pauvres gens.

Tout en donnant de l'espoir à l'humanité, ces derniers vers témoignent à la fois de la petitesse de la condition humaine, un mort parmi des milliers, et aussi de la grandeur de l'Homme, par son refus de tuer.

Il suffit de dire que Vian, ce nouveau Prométhée, a semé la panique dans l'Élysée par la force de son appel aux meilleurs instincts de l'homme. Clairement, dans notre époque moderne, la poésie continue à révéler la puissance de la parole écrite, même dans la vie politique et militaire.

Pour Siegfried Sassoon, ce qu'il a écrit sur la Première Guerre Mondiale prend sa source dans les souffrances, la mort et le meurtre de ses semblables, de ces millions de combattants dans les tranchées du Nord Est de la France et de la Belgique. Par contraste avec Vian, il n'a pas eu l'occasion de pouvoir modifier l'opinion publique en temps de guerre. Cela aurait été une trahison pour un jeune officier. Au lieu de cela, il nous lègue une pierre tombale, non seulement au nom du soldat inconnu qui a péri dans quelques arpents de Flandres, mais au nom de cette civilisation trahie par les militaires, les gouvernements chauvins et les marchands d'armes:

> If I were fierce and bald and short of breath,
> I'd live with scarlet Majors at the base
> And speed glum heroes up the line to death.

Le lecteur ressent l'âpreté de ces vers et reconnaît la maîtrise du poète, l'habileté dont il fait preuve afin d'anéantir notre respect pour les Majors, à l'aide de quelques touches tragi-comiques, contrastant avec le galop creux des derniers mots.

La guerre—le domaine des femmes? Plutôt faut-il s'émerveiller que cela ne soit le domaine de personne. Peut-être serait-il juste de poser une question toute autre? Pourquoi la guerre peut-elle subsister en tant que sujet poétique? Quel sera le lien entre la poésie troubadouresque d'un François Villon et ce que nous venons de lire? S'il y a un point commun, cela est assurément le lyrisme, partie intégrante de la condition humaine, qui subsiste dans les plus grandes des joies et des souffrances. C'est ce je ne sais quoi de lyrique qui atteste de la profondeur de l'expérience humaine. La poésie est la réflexion de cette expérience interne.

Un poème n'a rien à voir avec la logique et l'observation froide des événements. Il vit des émotions et de l'épanouissement, de l'essor et des crises de l'esprit. Et de son néant.

Cette expérience humaine et ses profondeurs, seraient-elles le domaine exclusif d'un sexe ou de l'autre? Il n'en est pas question. La poésie sied bien aux femmes comme aux hommes, aux hommes comme aux femmes. Jusqu'à une date relativement récente, on aurait dû vous pardonner la conviction que la poésie était un phénomène évoqué par l'un des sexes pour la délectation de l'autre.

L'avènement de ce vingtième siècle a changé tout cela.

Claire Vickers—Discutez des problèmes sociaux auxquels les immigrés doivent faire face dans la France actuelle.

La polémique des immigrés en France n'est pas nouvelle. Aux salines d'Aigues Mortes en 1893, des bagarres entre les Français et les immigrés ont laissé sept morts. Les Français de cette époque ont dit que ces 'intrus' prenaient leurs emplois—la même critique qu'on pourrait entendre en France aujourd'hui. Même si la constitution de 1946 déclare que la France est 'terre d'asile', les immigrés qui viennent chercher cet asile, y subissent une vie difficile et rencontrent souvent toute une gamme de problèmes sociaux et culturels.

La construction irréfléchie des cités sans commodités comme Sarcelles pendant les années soixante a quand même fourni un foyer pour la plupart de la population immigrée. Ces immeubles gris et monotones cachent des appartements serrés et insalubres et le gouvernement français est en train de réaliser un projet pour fournir des aménagements sociaux qui coûtent deux cents millions de francs et embrassent 148 cités.

La vie quotidienne des immigrés est empiré par le chômage. De 1976 à 1981, six sur dix emplois supprimés touchaient les immigrés. Bien qu'il y ait des étrangers qui travaillent, ils occupent souvent les postes peu qualifiés et les emplois manuels de maigres revenus. 'Je voudrais être contrôleur aérien: pour exercer cette profession, la nationalité française est obligatoire.' dit Farina Quad, Algérienne de 17 ans.

La situation est fort difficile pour les jeunes immigrés, surtout de la deuxième génération. L'école ne facilite pas leur intégration sociale et il existe une certaine discrimination raciale, exercée souvent sans le vouloir par les professeurs. Bon nombre d'immigrés ne réalisent pas leurs possibilités, ce qui mène à un manque de qualifications et puis au chômage. À la maison, ils sont pris entre deux cultures, ni tout à fait Français, ni tout à fait étranger. Ils souffrent d'un double déchirement. Voilà pourquoi des jeunes s'enfuient du domicile ou succombent à la tentation de la délinquance ou même à celle du suicide. Les problèmes se multiplient.

Les étrangers sont mal intégrés dans la communauté française. Toujours est-il que les immigrés européens, dont il y a plus de 1 700 000, sont moins touchés par le racisme et ce sont les Maghrébins et les Noirs qui en soutiennent le poids. Quant aux frustrations des Français de souche, engendrées par la crise économique et la privation sociale, celles-ci sont adressées aux immigrés en tant que bouc émissaire. On a même accusé la police de racisme. Par conséquent, le Front National a profité de l'insatisfaction et il est devenu de plus en plus populaire. Son chef, Jean-Marie Le Pen, propose d'établir des camps pour rassembler les immigrés et puis les renvoyer dans leur patrie afin de rendre la France aux Français. Les immigrés ont donc peur de subir la même terreur dans ces camps de concentration qu'ont soufferte les Juifs sous Hitler. Les groupes comme S.O.S. Racisme luttent contre de telles politiques pour les droits des immigrés.

Ces problèmes ont déjà causé des émeutes aux Minguettes, à Mantes-la-jolie et à Vaulx-en-Vélin où des gens ont été tués et d'autres blessés. Il faut assurément qu'on se mette à travailler ensemble pour résoudre les problemes entraînés par le racisme. Autrement, va-t-on donner au Front National l'occasion d'arriver au pouvoir sur une vague de racisme et si les immigrés étaient repatriés, qui sait ce qu'ils feraient. Selon un sondage récent, 62% des gens dans les banlieues pensent qu'il y couve un incendie social qui n'attend qu'à s'embraser.

Emma Watson—'Antigone' par Jean Anouilh. Avez-vous plus de sympathie pour Antigone ou Créon? Expliquez votre décision et justifiez votre position.

Bien que j'aie beaucoup de sympathie pour Antigone, je me sens plus compatissante envers Créon. Pendant la pièce, ce n'est pas seulement l'héroïne qui est la victime de la machine infernale peinte ultérieurement sur la scène française par Cocteau, mais aussi Créon lui-même. Les deux personnages ont leurs rôles à remplir: cela est dans la nature des choses.

Ces rôles ont été compliqués par les relations familiales. Par exemple, si Antigone était morte par la directive de Créon, celui-ci souffrirait, car Antigone est fiancée à Hémon, le fils de Créon. Dans les conversations entre Hémon et son père, on peut voir que si Créon exécutait Antigone, il perdrait l'amour et l'admiration de son fils. On voit là une raison primordiale pour laquelle Créon préférerait qu'Antigone vive.

Créon règne en Thèbes à la place du père mort d'Antigone sans l'avoir vraiment voulu. Pendant le prologue de la pièce, Anouilh nous présente Créon en tant que tyran, mais un tyran bienveillant. Il est un homme ordinaire qui est obligé de remplir les responsabilités d'un chef d'état dans une cité-état où la guerre et la rebellion règnent. Anouilh essaie d'évoquer notre compassion pour Créon en nous présentant ses qualités ordinaires.

La décision de Créon est peut-être plus difficile que celle d'Antigone, car comme roi il doit faire un exemple en punissant Antigone, mais comme le père d'Hémon il ne veut absolument pas la tuer—

'Que je la sauve parce qu'elle allait être le femme de mon fils. Je ne peux pas—La foule sait déjà, elle hurle autour du palais—Je suis le maître avant la loi, plus après.'

Encore une fois Anouilh souligne le fait que Créon est un tyran bienveillant. Il veut que son fils soit heureux, mais il est le roi et il doit enfin agir en tant que roi, même si cela mène à la destruction d'Antigone.

Quoique la décision d'Antigone de s'offrir à la Mort si Créon ne lui permet pas d'enterrer décemment son frère, soit très magnanime et courageuse, elle va mourir pour l'honneur d'un frère qu'elle n'aime pas et qui a trahi sa famille. En fait, elle ne sait pas si le cadavre qu'elle veut honorer par son sacrifice personnel, est le cadavre du bon frère ou non. Voilà le nœud du problème.

Elle a un choix et on a toujours l'impression qu'il y ait un élément d'égoïsme dans son comportement et dans sa décision. Pour moi,

Créon est forcé de choisir pour le bien public. Doit-il agir comme roi ou comme père? Il n'a pas de latitude. Par contraste, si Antigone est forcée, la pression est intérieure plutôt qu'extérieure.

Pendant les conversations quasi burlesques entre le Garde et Créon, Anouilh souligne comment Créon est plein d'affection pour ces semblables. Aussi a-t-il pris le petit page par l'épaule et ce geste de chaleur humaine est important pour une compréhension de Créon comme père de famille et aussi pour ajouter un autre niveau d'interprétation et de contraste à la pièce. Antigone appartient au monde des Dieux, Créon au monde des êtres humains.

Il ne suffit pas de dire que Créon est un tyran. Il est concerné pour le sort d'Antigone et d'Hémon, comme il lutte pour l'avenir de son peuple en bras de chemise. Si Antigone fait toujours du théâtre, Créon fait du travail honnête sur un niveau plus réaliste, bien moins sybarite. Pour moi, le monde a plus besoin d'un Créon que d'une Antigone.

Catherine Clayton—'Le dernier Métro', un film de François Truffaut

Dans 'Le dernier Métro', les événements se déroulaient dans le Paris de la Deuxième Guerre Mondiale, où il s'agissait de la vie du 'Théâtre Montmartre'. Les thèmes principaux du film sont l'occupation allemande et le comportement des Français sous cette occupation. Truffaut se concentre surtout sur la difficulté de mener une vie normale, sur la situation des Juifs et sur la résistance. Un amour clandestin nouera ensemble ces trois éléments.

Pour moi, le personnage principal du film a été Cathérine Deneuve, qui a interprété le rôle de Marion Steiner, actrice et gérante du Théâtre Montmartre. Au début du film le théâtre risque d'être fermé et on compte sur le succès de la nouvelle pièce 'Disparu' (un titre fort ironique) pour le sauver. Ici, comme ailleurs dans le film, Marion me semblait très consciencieuse pour avoir fait le maximum pour sauver son théâtre sans se compromettre vis-à-vis de l'armée d'occupation.

Gérard Depardieu a interprété le rôle de Bernard Granger, un acteur principal dans le théâtre Montmartre. Dans le film, Granger symbolise la jeunesse, la passion et la résistance active contre les Allemands. Au début du film Bernard est arrivé au théâtre pour commencer dans la nouvelle pièce et il a fallu signer un contrat, confirmant qu'il n'était pas Juif, ce qu'il a refusé de faire. À la première rencontre l'attraction mutuelle entre la gérante de théâtre et son jeune principal se manifestait très clairement. Mais, à cause de leur situation et surtout du fait que Lucas Steiner, le mari juif de Marion, se cachait dans le sous-sol du théâtre, il a fallu que Marion dissimule son vrai sentiment pour Bernard, en se montrant froide et distante.

Lucas Steiner avait été un metteur-en-scène célèbre, mais avec l'occupation allemande et sa provenance juive, il a dû rester au sous-sol Personne, sauf Marion, bien entendu, ne savait pas qu'il était caché là. Les autres croyaient qu'il se fût échappé de la France au moment de l'invasion. Voilà la raison pour laquelle le titre 'Disparu' était si ironique. Tout en symbolisant la position des Juifs et le manque de liberté même dans le monde de l'expression artistique, Lucas Steiner se cache au sous-sol dans une sorte de réclusion forcée avec rien à faire. Pour s'occuper, il a façonné un trou dans le mur et de cette manière il arrivait à entendre ce qui se passait en scène. Après chaque répétition, il a pu conseiller Marion sur le perfectionnement de la pièce. Il est donc devenu un virtuel metteur en scene caché, qui était à même de démontrer sa propre résistance personnelle à la tyrannie.

Par contre, le critique des Arts, Daxiat, représente l'encontre de la menace de l'esprit nazi et la volonté de collaborer de la part d'une certaine fraction de la population française. Par l'intermédiaire de son journal de droite, Daxiat est devenu le censeur officiel de la production artistique à Paris et il est arrivé à contrôler le sort du théâtre Montmartre et son de personnel.

Marion essayait d'organiser une évasion pour Lucas dans la zone libre de la France. Cependant, elle a lu dans le journal que les Allemands avaient envahi cette zone et on a dû supprimer le plan. Le collaborateur, Daxiat, sachant que la carte d'identité de Lucas avait été trouvé, ce qui montrait qu'il était toujours dans le pays, a proposé que Marion divorce Steiner, parce que Daxiat avait le pouvoir de fermer le théâtre.

Bernard Granger, conscient de la suggestion de Daxiat, l'a cherché dans un restaurant et s'est mis à bagarrer avec lui devant la compagnie du théâtre. Cette manifestation d'agression avait le but de défendre Marion et son théâtre et de cette façon Bernard affichait son affection pour elle. Mais, naïf, il ne pensait pas aux conséquences et il ne croyait même pas que le théâtre se fermerait. La bagarre entre les deux hommes symbolisait d'une façon des plus dramatiques la confrontation entre les deux Frances—celle de la collaboration et celle de la résistance.

Il s'ensuit toute une série d'événements. Lucas est presque déniché par les Allemands, Marion et Bernard ont une rencontre amoureuse passagère, Bernard quitte le théâtre pour se joindre à la résistance, le théâtre se rétablit à la fin de la guerre avec Lucas aux commandes et la vie reprend une sorte de normalité.

'Le dernier Métro' finit sur encore une note symbolique. Nous, les spectateurs, participons à une scène d'hôpital où Marion rend visite à Bernard en tant que patient blessé, dans une sorte de réunification pénible. Tout d'un coup, le rideau tombe et nous savons que c'est seulement une scène de théâtre. Ceci montre que la liaison amoureuse de Marion et Bernard doit être limitée aux interprétations théâtrales.

Pour renforcer cela, le film finit avec Marion, Bernard et Lucas en scène pour saluer les spectateurs au rappel, ce qui souligne leur unité et dans le théâtre, et dans leur résistance à la tyrannie. Au-delà de tout conflit, ils représentent ce qu'il y a de bon en France et la base de son avenir, un avenir optimiste.

Essay Commentaries

Mon premier séjour en France (Pages 73–5)

Despite the apparent unsuitability of the title for this treatment, the writer manages to use the strong construction by looking at first the more negative and secondly the positive things encountered during the visit. The reader is left with the very favourable impressions uppermost in mind.

The introductory paragraph directs the reader neatly into the main body of the essay by posing several questions to be answered in the course of the composition. The final paragraph ties up the ends by providing a balance sheet for the visit.

Ma ville (Pages 75–6)

Ma ville presents a subtle variation on the two-sided essay, by contrasting the historical and industrial decline with the colourful and healthy folk-culture of the town. This contrast once again allows a neat assessment of the *pour* and *contre* in the concluding paragraph.

La cuisine française (Pages 76–8)

This essay provides a straightforward use of the strong, two-sided construction. The author starts by listing personal dislikes and continues by discussing dishes which he found particularly enjoyable.

La poésie n'intéresse que le sexe féminin (Pages 81–4)

This is an advanced adaptation of the two-sided approach. As his first move, the author develops a description of the work of two poets and of their personal standpoints. Then he moves to a general consideration of the theme, using as a springboard the discussion of the two particular poets.

Discutez des problèmes sociaux auxquels les immigrés doivent faire face dans la France actuelle (Pages 84–5)

Claire Vickers' essay is well-organised and tightly written. She does not allow herself to digress and presents a series of clear, logical points in a composition, whose purpose is not to discuss two sides of a question.

Writing from the standpoint of a young woman with a strong social conscience, she chooses to concentrate on underlining just how difficult things are for immigrants in France, ending neatly with a brief glimpse of a future full of confrontation.

Claire's essay achieved a strong A grade for its breadth of language, clarity of expression, logical development and mastery of factual detail. For those of us who are inclined to waffle, it is a model of precision.

Avez-vous plus de sympathie pour Antigone ou Créon? Expliquez votre décision et justifiez votre position (Pages 85–7)

Emma's essay is an excellent example of the modern approach to theatre or literature essays. She is asked to provide personal opinions and she does, but she expresses her ideas in sufficiently intellectual and unemotive language as to give clarity and weight to what she says.

The title itself allows for a two-sided discussion, which Emma handles quite cleverly, dealing first with Creon then with Antigone at some length, then reverting to Creon in the final stages of her essay, to underline her support for him. This is a neat variation on the strong structure discussed on page 6.

Emma's essay is also well into the A band for both language and ideas. She uses the key vocabulary essential to the discussion, presents very well the standard ideas and enters into relevant conjecture on what might have happened if . . . .

Notice how she concludes her essay with a very strong personal statement, which she manages to keep intellectual because of the quality of her language.

'Le dernier Métro', un film de François Truffaut (Pages 87–9)

Catherine's essay had to be included because it is an excellent example of how to tell the story, without just telling the story. Although she gives much narrative detail from the film, it is almost always used to underline a point of character, plot, theme or philosophy. She shows what people stand for, what they symbolise, their relevance to their times and gives the clearest of insights into Truffaut's purpose in creating the film.

The use of language is sharp, with a good balance of key vocabulary and tight phrasing. Ideas are expressed with considerable clarity and the essay moves along swiftly. All this is set in motion by an excellent introductory paragraph, which flags the main themes and their development. For all these points the essay merited a strong A grade.

Note: These students from New College, Pontefract are to be commended for making especially good use of their time in class. They listened to and participated well in all the target-language sessions on their topics. Most particularly, they made copious French notes during the lessons, using them to develop and extend their own ideas with considerable success. The use of their essays in *Compo 2000!* is a tribute, not only to their ability, but to their enthusiasm and determination!

Chapeau bas!

Appendix A

Essay Phraseology

Sentence leaders and link phrases

Pour commencer, ...	*To start (with), ...*
En ce qui concerne ...	*As far as ... is concerned/As for ...*
Selon moi, ...	*According to what I think, ...*
Pour ma part, ...	*For my part, ...*
Pour moi, .../Quant à moi, ...	*For me, .../As for me, ...*
En ce qui me concerne, ...	*As far as I am concerned, ...*
De fait/En effet/Par le fait ...	*In fact/Actually ...*
En vérité, ...	*In truth, ...*
En réalité, ...	*In reality, ...*
À cet égard, ...	*In this/that respect, ...*
Tout d'abord, ...	*First of all, ...*
Dans le cas où ...	*If it is the case that ...*
Par conséquent, ...	*As a consequence, ...*
En conséquence, ...	*Consequently/Accordingly ...*
En outre ...	*Besides/Moreover/Furthermore ...*
Chose curieuse, ...	*The curious thing is, ...*
Fait curieux, ...	*The strange fact is, ...*
En troisième cas ...	*Thirdly/In third place ...*
En fin de compte ...	*All things considered, ...*
Du point de vue (matériel) ...	*From the (material) point of view ...*
Dans la mesure où ...	*As far as ...*
Par la suite ...	*Afterwards/As a sequel ...*
Pis encore, ...	*Still worse, ...*
D'un côté ...	*On the one side .../On the one hand ...*
D'un autre côté ...	*On the other (side/hand) ...*
De l'autre côté ...	*On the other (side/hand) ...*
Par dessus le côté ...	*Over and above the ... side of it*
Même si ...	*Even if ...*
Grâce à eux, ...	*Thanks to them, ...*
Pour ne rien dire de ...	*Not to mention ...*

Dans d'autres termes, . . .	*Put another way, . . .*
Ceci joue un rôle dans . . .	*This plays a part in . . .*
On cite souvent à ce propos . . .	*Often quoted in this context is . . .*
La tâche consistera à . . .	*The task will be to . . .*
On projette d'utiliser . . .	*They propose to use . . .*
Par nécessité, . . .	*Out of necessity, . . .*
En dépit de . . .	*In spite of . . .*
En règle générale . . .	*As a general rule . . .*
En tant qu'observateur . . .	*(In my capacity) as an observer . . .*
On ferait mieux de . . .	*One would do better to . . .*
Il en est de même chez . . .	*It's the same with . . .*
À cette fin . . .	*With this (end) in mind . . .*
Pour les apôtres de . . .	*For those committed to . . .*

Your own examples

Temporisers

Après tout/Toutefois . . .	*After all . . .*
Toujours est-il que . . .	*The fact remains that . . .*
Quels qu'en soient les mobiles, . . .	*Whatever may be its motives, . . .*
Dans la mesure du possible . . .	*(In) as far as it is possible . . .*
Il n'existe pratiquement plus de . . .	*There is practically no more . . .*
Pour une raison quelconque . . .	*For whatever reason . . .*
Vivre est en soi une joie . . .	*Living is in itself a joy . . .*
En quelque sorte . . .	*To a certain extent/As it were/In a way/In a manner . . .*
Jusqu'à un certain point . . .	*To a certain extent . . .*
Jusqu'à la limite de mes moyens . . .	*As far as I can possibly manage . . .*
D'une façon ou d'autre . . .	*One way or another . . .*
De façon ou d'autre . . . ⎫ De toute façon . . . ⎭	*In any case . . .*

Plus ou moins . . .	*More or less . . .*
Pour la plupart . . .	*For the most part . . .*
Dans l'ensemble . . .	*On the whole . . .*
Par contraste . . .	*By contrast . . .*
. . . paraît-il	*. . . (or) so it appears*
Dans le sens accepté du mot . . .	*In the accepted sense of the word . . .*
Qui plus est, . . .	*Moreover, . . .*
N'oublions pas non plus que . . .	*Don't let us forget either that . . .*
Plutôt faut-il . . .	*One should rather . . .*
Où que ce soit, . . .	*Wherever this may be, . . .*
Qui que ce soit, . . .	*Whoever this may be, . . .*
Quoi que ce soit, . . .	*Whatever this may be, . . .*

Your own examples

Paragraph leaders

Commençons par la partie négative	*Let us start with the negative side*
Il est difficile de savoir par où commencer	*It is difficult to know where to start*
Quelles que soient les opinions personnelles, . . .	*Whatever personal opinions may be, . . .*
Quels sont les différents facteurs qui influencent . . . ?	*What are the different factors influencing . . . ?*
Pour entamer notre sujet, . . .	*To make a start with our subject . . .*
En considérant le spectacle qu'offre aujourd'hui . . .	*When you consider the spectacle presented today by . . .*
Citons en titre d'exemple . . .	*By way of example, let us quote . . .*
Examinons de plus près ce qu'implique être . . .	*Let us examine more closely what is meant by/it means to be . . .*
Il doit déjà être clairement établi que . . .	*It must be clearly established at this point . . .*
Il faudrait analyser de plus près . . .	*One should look more closely at . . .*

Je vois maintenant sous une toute autre lumière . . .	*Now I see . . . in a quite different light*
Pour se convaincre de ce fait, on n'a qu'à regarder . . .	*To be convinced of this fact, one only has to look at . . .*
Si l'on accepte la vérité de cet aphorisme, . . .	*If you accept the truth of this well-known saying, . . .*
N'admet-on pas généralement que . . . ?	*Isn't it generally admitted that . . . ?*
Comment la situation actuelle se caractérise-t-elle?	*What are the distinguishing factors in the current situation?*
Parmi les arguments principaux de ceux qui soutiennent la cause de . . .	*Amongst the major arguments of those supporting . . .*
Peut-être serait-il juste de poser une question tout autre	*Perhaps it would be valid to put a quite different question*
Il y a tant de points de vue d'où l'on peut envisager le sujet	*There are so many points of view from which the subject may be considered*
Si on le prend au pied de la lettre, . . .	*If it is taken literally, . . .*
S'il faut revenir à nos moutons (économiques) . . .	*If we have to get back to our (economic) subject matter . . .*
Il serait aisé d'examiner avec plus de détails . . .	*It would be easy to examine in more detail . . .*
. . . représente quelque chose de spécial	*. . . represents something special*
Ceci nous fait revenir à un autre aspect essentiel de . . .	*This brings us back to another essential aspect of . . .*
Il reste un secteur à explorer dans cette thèse	*There is one aspect of this thesis remaining to be explored*
Il serait injuste de terminer cette composition sans . . .	*It would not be right to finish this essay without . . .*

Your own examples

Points of comparison and balancing statements

Par contraste . . .	*By contrast . . .*
Rien qu'à regarder . . .	*One only has to look at . . .*
Ce n'est pas le cas chez . . .	*It is not the case with . . .*
Il en est de même chez . . .	*It is the same with . . .*
Ce qu'on dit de . . . s'applique aussi à . . .	*What is said about . . . also applies to . . .*
On s'aperçoit non seulement de . . . mais aussi de . . .	*Not only do you notice . . . but also . . .*
Ils varient tant par . . . que par . . .	*They vary as much in . . . as in . . .*
Contrastez . . . avec . . .	*Contrast . . . with . . .*
L'importance de . . . varie énormément selon . . .	*The importance of . . . varies enormously according to . . .*
Ceci se reflète dans . . .	*This is reflected in . . .*
Il y a un revers à la médaille	*There is another side to the coin*
Ceci n'a pas à voir avec . . .	*This has nothing to do with . . .*
Par rapport à . . .	*In relation to . . .*
Cet antagonisme ne réside pas exclusivement dans . . .	*This antagonism does not exist solely in . . .*
Cela serait trop aisé que de . . .	*It would be too easy to . . .*
L'attitude de . . . vis-à-vis de . . .	*The attitude of . . . in relation to . . .*
. . . et . . . partagent un élément de commun	*. . . and . . . have a common element*
Le terme '. . .' s'applique aussi à . . .	*The term '. . .' also applies to . . .*
Ces raisons ne se basent que sur le fait que . . .	*The only basis for these reasons is the fact that . . .*
Tout ignorant qu'il est, . . .	*However ignorant he may be, . . .*

Your own examples

Time, length, duration

De nos jours/Par le temps qui court …	*Nowadays …*
De temps en temps …	*From time to time …*
De temps à autre …	*Now and again …*
Dans le temps/Dans les années d'antan …	*In time gone by …*
Une fois/Autrefois/ Antérieurement …	*Once/Previously …*
De temps immémoriaux …	*From time immemorial …*
Dans ce vingtième siècle …	*In this the twentieth century …*
Dans notre époque moderne …	*In our modern age …*
Au lendemain de l'Empire …	*In the period after Empire …*
À l'époque Victorienne …	*In the Victorian era …*
En même temps/À la fois …	*At the same time …*
À la longue …	*At length/Eventually …*
En fin de compte …	*When all is said and done …*
Pendant longtemps …	*For a long time …*
Au fil des années …	*In the course of the years …*
Sous le règne de …	*In the reign of …*
À l'époque de …	*In the age/era of …*
Pendant toute la durée de …	*During the whole length of …*
Depuis la perte du paradis terrestre …	*Since the Fall (Adam and Eve, not Autumn) …*
En moins d'un siècle …	*In less than a century …*
À une époque antérieure …	*In an earlier age …*
Jusqu'à une date tout à fait récente …	*Until quite recent times …*
Depuis ma plus jeune enfance …	*Since my earliest youth …*
Lors de mon enfance …	*In my youth …*
Sous peu …	*Shortly …*
À un moment donné …	*At a given moment …*
L'avènement de la révolution industrielle …	*The coming of the industrial revolution …*
En temps de tempête …	*In time of storm …*
Vers la fin de l'adolescence …	*Towards the end of adolescence …*

Your own examples

Leaders into important and revealing statements

Ceci fournit l'occasion de . . .	*This provides the opportunity to . . .*
Il faut que vous sachiez que . . .	*You should know that . . .*
Comment se mettre en désaccord avec . . . ?	*How could we not agree with . . . ?*
Il y a bon nombre de gens qui sont de l'avis que . . .	*There are a good number of people who are of the opinion that . . .*
On attache beaucoup d'importance à . . .	*Much importance is attached to . . .*
Ce qu'il y a de certain c'est que . . .	*What is certain is that . . .*
Ces mots témoignent de . . .	*These words bear witness to . . .*
Il suffit de dire que . . .	*Suffice it to say that . . .*
Étant donné le . . .	*Given the . . .*
Un point de départ convenable sera . . .	*. . . is a suitable starting point*
Rien qu'à se rendre compte de . . .	*You only have to realise . . . to . . .*
Il faudrait en dire autant pour . . .	*As much should be said for . . .*
Ceci témoigne d'un rapprochement entre	*This indicates a reconciliation between . . .*
Voila une question à l'ordre du jour	*This is a vital question*
Il serait aussi blâmable que vain de chercher à . . .	*It would be both blameworthy and vain to try to . . .*
Sans doute ces sombres réflexions sont-elles liées à . . .	*These sombre thoughts are no doubt linked to . . .*
On impute ce succès au fait que . . .	*Credit for this success is attributed to the fact that . . .*
La position subalterne de . . . se reflète dans . . .	*The inferior position of . . . is mirrored in . . .*
La tâche de l'homme sera donc de . . .	*Man's task will thus be to . . .*

À la femme reviendra . . .	*To woman will come . . .*
Le seul espoir d'avancement se résume à . . .	*The only hope for advancement can be summed up in . . .*
Le mot . . . jouit d'une importance centrale	*The word . . . plays a central role*
En vue des dangers éventuels qu'implique . . .	*In view of the eventual dangers implied by . . .*
Tout en reconnaissant ce fait, . . .	*While recognising this fact, . . .*
D'où provient . . . ?	*What is the source of . . . ?*
Ceci fait écho dans les mots . . .	*This finds an echo in the words . . .*
Quel sera la lien entre . . . ?	*What, then, is the link between . . . ?*

Your own examples

General approval and positive comment

Il y a de solides avantages dans . . .	*There are solid advantages in . . .*
Il faut profiter de l'occasion (de . . .)	*We must take advantage of the opportunity (to . . .)*
Il faut en faire autant	*We should do as much*
Il n'en existe pas de meilleur	*There isn't any better*
Leur grand mérite consiste à . . .	*Their great merit consists in . . .*
Qu'enfin il en soit de même chez nous!	*May it eventually be the same with us!*
Ceci vaut la peine de l'attente	*It is worth waiting for*
Ceci a valu la peine	*It has been worth the trouble*
À juste titre/Avec raison/De bon aloi	*Rightly/Fairly/Genuine(ly)*
Ce programme remédie à la complexité de la situation	*This programme provides an answer to the complexity of the situation*
Fait significatif, . . .	*A significant fact is . . .*
Ils se sont efforcés d'améliorer les rapports	*They have striven to improve relations*

Ils semblent en bonne voie pour mettre le programme au point	*They seem well on the way towards fully implementing the programme*
Il a ceci de particulièrement intéressant, ...	*It has this which is particularly interesting about it, ...*
La politique de ... est en voie de parvenir à ses fins	*The policy of ... is on the way towards achieving its aims*
Ce phénomène nous offre le réconfort de l'espoir	*This phenomenon offers us the comfort of hope*
On a abordé le problème sous un angle (totalement) positif	*The problem has been tackled/ approached from a thoroughly positive angle*
Il faut admettre que ... a ses bons côtés	*It must be admitted that ... has its good points*
Il est évident que ... présente des conditions idéales pour ...	*It is clear that ... offers ideal conditions for ...*
On peut les aborder à bon escient	*They may be approached in full confidence*

Your own examples

General disapproval and negative comment

Il n'en est pas question	*There's no question of it*
On n'a aucun contrôle sur ...	*We have no control over ...*
Il inspire des doutes	*It raises doubts*
Cette affirmation est hautement contestable	*This statement is highly contestable*
Cela compte parmi les inconvénients de ...	*This figures amongst the disadvantages of ...*
Nous dilapidons des chances certaines de ...	*We are squandering the certain chance of ...*
Ils répugnent à ouvrir le dialogue dialogue	*They shrink from opening the dialogue*
En dépit de ces touche positives ...	*Despite these positive touches ...*

Ne baser ses convictions que sur . . . , c'est . . .	*Only to base one's convictions on . . . is . . .*
Cela constitue un signe éclatant de faillite	*This constitutes a spectacular sign of failure*
Ceci ne répond plus aux besoins d'un monde changeant	*This no longer meets the needs of a changing world*
La tentative n'a pas réussi à tempérer la situation	*The attempt has failed to moderate the situation*
C'est une forme de propagande subtile	*It is a form of subtle propaganda*
À en juger par les crises qui secouent . . .	*To judge from the crises shaking . . .*
Je trouve impossible d'y envisager une amélioration	*I find it impossible to anticipate any improvement in it*
Ils se laissent guider par les émotions	*They allow themselves to be guided by their emotions*
Je ne me range pas de ce côté	*I cannot support this view*
Cela n'exige pas beaucoup d'énergie mentale	*It does not require much mental effort*
On doit manquer de caractère pour se laisser beaucoup influencer par . . .	*One must be lacking in character to allow oneself to be influenced by . . .*
On impute une mauvaise influence à . . .	*. . . is said to have a bad influence*

Your own examples

Proverbs (Use sparingly)

À chaque jour suffit sa peine	*Sufficient unto the day is the evil thereof*
Le temps perdu ne se rattrape jamais	*Procrastination is the thief of time*
Qui dit averti, dit muni	*Forewarned is forearmed*

Tout vient à point à qui sait attendre	*Everything comes to him who waits*
Nécessité n'a pas de loi	*Needs must when the devil drives*
Il faut battre le fer pendant qu'il est chaud	*Strike while the iron's hot!*
À quelque chose malheur est bon	*It's an ill wind that blows nobody good*
Deux avis valent mieux qu'un	*Two heads are better than one*
C'est en forgeant qu'on devient forgeron	*Practice makes perfect*
Il y a loin de la coupe aux lèvres	*There's many a slip twixt cup and lip*
Un point fait à temps en épargne cent	*A stitch in time saves nine*
À bon entendeur, salut!	*A word to the wise!*
À beau jeu, beau retour	*One good turn deserves another*
Ce qui nuit à l'un, duit à l'autre	*One man's meat is another man's poison*
C'est là que le bât le blesse!	*There's the rub!*
Point de rose sans épines	*Every rose has its thorn*
Il n'est pire eau que l'eau qui dort	*Still waters run deep*
Qui aime bien châtie bien	*Spare the rod and spoil the child*
Après la mort, le médecin	*That's shutting the stable door after the horse has bolted*
Pierre qui roule n'amasse pas mousse	*A rolling stone gathers no moss*
Tel père, tel fils	*Like father, like son*
Rira bien qui rira le dernier	*He who laughs last, laughs loudest*
À l'œuvre on connaît l'artisan	*By their works shall ye know them*
Ménager la chèvre et le chou	*To run with the hare and hunt with the hounds*
Chat échaudé craint l'eau froide	*Once bitten, twice shy*
L'habit ne fait pas le moine	*It is not the cowl that makes the monk*
Quand le chat est absent, les souris dansent	*When the cat's away the mice will play*

Your own examples

Problems—local, national and international

Cet état de fait démontre ...	*This state of affairs shows ...*
La crise est à son comble	*The crisis is at its height*
... soulève une controverse intense	*... raises intense controversy*
Il comporte aussi de graves dangers	*It also brings with it grave dangers*
On est à la merci de ...	*We are at the mercy of ...*
Nul ne saura résoudre le conflit	*No one will be able to resolve the conflict*
Il n'y a certainement pas de solution politique évidente	*There is certainly no apparent political solution*
Ceci ne s'est pas fait sans difficultés	*This has not been done without difficulty*
Ce déficit ne cesse de s'aggraver	*This deficit grows continuously worse*
Le gouvernement a tenté de le faire en restreignant ...	*The government has attempted to do it by restraining ...*
La solution serait sans doute de ...	*No doubt the situation would be to ...*
Ils l'ont achevé à la sueur de leur front ...	*They have finished it by the sweat of their brow ...*
On en viendra à se demander si ...	*We will come to wonder whether ...*
Les problèmes internationaux ne représentent que les manifestations ternes de ...	*International problems are only the external manifestations of ...*
Le scénario du drame est simple	*The plot is a simple one*
Cela devrait inciter tous à améliorer les conditions	*This should encourage everyone to improve conditions*
Ceux qui combattent ... dans le domaine de ...	*Those who fight against ... in the field of ...*

La jeunesse ajoute des dimensions nouvelles au problème	*Youth brings a new dimension to the problem*
Il ne facilite aucunement les bons rapports internationaux	*In no way does it encourage good international relations*
... est solidement établi dans la société	*... is well established in society*
Les liens du passé comportent aussi des effets négatifs	*Links with the past also produce a negative effect*
Les immigrés ont affronté une hostilité de la part de la population métropolitaine	*Immigrants have encountered hostility on the part of the population in the capital*

Your own examples

Reports, studies, polls, statistics

Toute une gamme de sondages récents révèle ...	*A whole range of recent polls reveals ...*
Une analyse sociologique démontre c'est que ...	*A sociological analysis shows that ...*
Si le sondage prouve quelque chose, c'est que ...	*If the survey proves anything, it is that ...*
Le résultat, rendu public la semaine dernière, ...	*The result, made public last week, ...*
On a fait mention de trois qualités négatives	*Mention has been made of three negative qualities*
Le sondage a examiné à la loupe leur prise de position	*The survey examined (under a microscope) the positions they had taken up*
Les résultats en ont apporté la preuve la plus éclatante	*The results have shown the most spectacular proof of it*
Les chiffres constituent un signe éclatant de faillite	*The figures represent a spectacular sign of failure*

Le chiffre dépasse le million	*The figure passes the million mark*
Les travaux se chiffrent à 4 millions de francs	*The work is costed out at 4 million francs*
Une légère majorité réclame un retour en arrière	*There is a small majority demanding a turn-around*
Fort de quelques deux millions d'âmes, ce groupe . . .	*Some two million strong, this group . . .*
Ce groupement représente le tiers environ des travailleurs dans l'industrie	*This grouping represents around a third of those working in the industry*
Nombreux sont ceux qui . . .	*Those who . . . are numerous*
Il ne compte que 500 000 individus	*It only comes to 500 000 individuals*
Un ou deux chiffres adéquats offrent un grand intérêt	*One or two statistics should be sufficient to be of great interest*
Les données se composent de six éléments	*The data is composed of six elements*
Les données ont de quoi laisser perplexe	*There is enough in the data to keep you guessing*
Comme le souligne un observateur, . . .	*As underlined by one observer, . . ./As one observer emphasises, . . .*
Cela a augmenté/diminué dans une proportion allant jusqu'à quinze pour cent	*This has increased/diminished by up to fifteen per cent*
Le chiffre n'a pas de signification	*The figure has no significance*

Your own examples

Concluding statements

Vive la différence et vive la variété!	*Variety is the spice of life!*
Nul ne peut apprécier la lumière s'il n'a connu les ténèbres	*No one can appreciate light, who has not known darkness*

Le temps montrera dans quelle mesure ils réussiront	*Time will show the extent to which they will succeed*
Devant ce problème, chacun doit décider selon ses propres vues	*With this problem, everyone has to decide according to his own opinion*
Il faudrait peut-être refaire complètement le système	*Perhaps we should completely rebuild the system*
Les années passent, les idées restent, mais elles s'habillent autrement	*The years pass but ideas remain with us, in a different dress*
Qui y croit encore?	*Who still believes in it?*
L'atmosphère ne reste plus au beau fixe	*No longer is the mood set fair*
De superficiel, le mécontentement est devenu profond	*Discontent, originally superficial, now goes far deeper*
Au point où en sont les choses, on ne peut plus reculer	*Things have come to a point from which it is impossible to retreat*
L'expérience le prouve	*Experience proves it*
Cela représente les derniers beaux jours avant la retraite	*This is the lull before the storm*
Nous trouvons-nous au début de ce sombre processus de détérioration?	*Are we at the beginning of a dark process of deterioration?*
On peut transcender les différences par la défense d'un bien commun	*Differences may be overcome by the mutual defence of a common good*
Autre temps, autres mœurs	*Other times, other ways*
Sera-t-on jamais en mesure de s'en acquitter?	*Will we ever be in a position to carry it out?*
Il reste cependant bien des obstacles à surmonter	*There are, however, many obstacles still to be overcome*
Faut-il en conclure que … ?	*Should we conclude from it that … ?*
Les perspectives d'avenir sont beaucoup plus modestes	*The prospects for the future are much more modest*
Il faut faire le compte	*There has to be a reckoning*
Mais l'homme a tendance à tourner le bénéfice en perte	*But man has a tendency to turn good to ill*

On ne peut pas vivre sans espoir	*We cannot live without hope*
L'avènement de l'ordinateur a changé tout cela	*The coming of the computer has changed all that*

Your own examples

Economic and sociological topics

À mesure que l'inflation érode les revenus, . . .	*As inflation erodes income, . . .*
Sur le plan sociologique/ économique, . . .	*On the sociological/economic level, . . .*
L'argent s'accumule, puis va s'investir ailleurs	*Money accumulates, but is then invested elsewhere*
Le taux va en diminuant/ grandissant	*The rate (level) goes on decreasing/increasing*
Nous assistons à une érosion du plein emploi	*We are witnessing an erosion of full employment*
Le rhythme de la croissance économique a continué de vaciller	*The rate of economic growth has continued to falter*
Nous avons subi le contrecoup de la récession économique	*We have been hit by the backlash of the economic recession*
Ceci semble exorbitant, relatif au niveau de . . .	*This seems excessive, relative to the level of . . .*
La même relation se produit dans . . .	*The same relationship takes place in . . .*
Ceci affirme un malaise profond	*This confirms a deep-seated malaise*
Cette notion remonte aux sociétés les plus primitives	*Such an idea goes back to the most primitive societies*
La société semble désapprouver les mères célibataires	*Society seems to disapprove of single mothers*
Certains dirigeants de la société soulignent que . . .	*Certain of those who run society, underline the fact that . . .*

Bien des gens s'insurgent contre ces mesures	*Many people are up in arms against these measures*
L'aggravation du chômage a poussé le gouvernement à à interdire . . .	*The serious increase in unemployment has compelled the government to ban . . .*
Il a marqué de façon indélébile la société contemporaine	*It has left an indelible mark on contemporary society*
Il en résulta une panique au Japon	*There was a resultant panic in Japan*
C'est la révolte du Tiers-Monde contre les anciennes puissances coloniales	*It is the revolt of the Third-World against the old colonial powers*
Le ministre entend tenir compte des opinions de . . .	*The minister intends to take account of the opinions of . . .*
Lors de l'essor économique du début des années 60, . . .	*During the period of economic expansion during the early 60s, . . .*
Cela n'a eu aucun impact sur le plan sociologique	*This has had no impact on a sociological level*

Your own examples

Appendix B

Essay Vocabulary

abolir, *to abolish*
abriter, *to shelter, bring together*
accru, *growing, accrued*
acolyte (m), *confederate, accomplice*
accorder, *to give, grant*
actuel, *present, current*
adopter, *to adopt, take over, take on*
adresse (f), *skill, adroitness, shrewdness*
affirmer, *to affirm, confirm*
s'aggraver, *to get worse, deepen*
agir, *to act*
s'agir de, *to concern, be a question of*
ajouter, *to add*
alcoolisme (m), *alcoholism*
aliéné, *mad*
ambiance (f), *atmosphere*
(s')améliorer, *to improve*
amplifier, *to enlarge, exaggerate*
analyse (f), *analysis*
analyser, *to analyse*
anonymat (m), *(state of) anonymity*
annuler, *to cancel*
aphorisme (m), *truism*
aspect (m), *aspect, appearance, look*
appartenir (à), *to belong to*
s'appliquer (à), *to apply, be relevant to*
âpre, *bitter*

apprécier, *to appreciate, value*
approbation (f), *approval*
s'approprier, *to appropriate*
(dés)approuver, *to (dis)approve of*
appui (m), *support*
s'appuyer (sur), *to lean, rely, depend (upon)*
assurer, *to assure*
athlétisme (m), *athletics*
atmosphère (f), *atmosphere*
autrefois, *once (in times gone by)*
avantageux, *advantageous, of use*
aucunement, *in no way*
avantage (m), *advantage, good point*
avènement, *coming, arrival*
avenir (m), *future*
avidité (f), *greediness*
avis (m), *opinion*

(se) baser sur, *to (be) base(d) upon*
au beau fixe, *set fair*
besoins (m pl), *needs*
Beur (m/f), *Arab*
bienfait (m), *benefit*
bilan (m), *bill, account*
blâmer, *to blame*

(les) cadres, *(approx.) the professional classes*
capital, *central, vital*
caractère (m), *character, nature*

carrefour (m), *crossroads*
carrière (f), *career*
cas (m), *case, circumstance*
le cas échéant, *if need be*
cause (f), *cause*
cesser (de), *to cease, stop*
changement (m), *change*
chômage (m), *unemployment*
ci-dessous, *below (i.e. in this
    article, etc.)*
ci-dessus, *above*
citer, *to quote*
codification, *classification*
collègue (m/f), *colleague,
    fellow-*
commentaire (m), *commentary*
commenter, *to comment (upon)*
compatissant, *compassionate*
comportement (m), *behaviour*
comporter, *to include, bring
    with*
composante (f), *component*
se composer de, *to be composed
    of*
compromis (m), *compromise*
compte (m), *account*
conclure, *to conclude*
concilier, *to reconcile, bring
    together*
concitoyen (m), *fellow-citizen*
concours (m), *competition*
concurrent (m), *competitor*
conflit (m), *conflict*
consacrer, *to devote, pledge, give*
conscience (f), *conscience,
    awareness*
consister en, *to consist of*

consolateur, *consoling*
consommation (f), *consumption*
constance (f), *consistency,
    reliability*
constituer, *to constitute,
    represent*
crainte (f), *fear*
contigu(ë), *related (argument)*
contraint (de), *obliged to*
contraste (m), *contrast*
contraster, *to contrast*
contribuer, *to contribute*
contre-balancer, *to counterbalance*
controverse (f), *controversy*
convaincre, *to convince*
convenable, *suitable*
convenir, *to agree, suit*
convertir, *to convert*
coûteux, *costly*
crise (f), *crisis*
croissant, *growing*
cruauté (f), *cruelty*
critère (m), *criterion*

dater (de), *to date (from)*
débat (m), *debate, discussion,
    dispute*
débrouillard, *resourceful*
décerner, *to award, bestow, discern*
déclancher, *to set in motion,
    unleash*
se déclarer, *to break out, occur*
décontraction (f), *relaxation*
découverte (f), *discovery*
décrire, *to describe*
défaite (f), *defeat*
défaut (m), *fault, defect*

inutilement, *to no avail*
ironiser, *to speak ironically, banter*
s'irriter, *to become irritated*

je-m'en-foutisme (m), *total
    indifference (esp. political)*
jouir de, *to enjoy, have, possess*
avec justesse, *soundly, rightly*

là-dessus, *on that, about that,
    thereon*
laïque, *lay, non-specialist*
lien (m), *link, bond*
lier, *to link*
lors de, *at the time of (past)*

Maghreb (m), *Arab North Africa*
main d'œuvre (f), *workforce*
maint, *many a*
maîtriser, *to master, overcome*
malfaisant, *harmful, evil*
malsain, *unhealthy*
manque (m), *lack*
manifestant(e) (m/f),
    demonstrator
manifestation (f), *demonstration*
se marier, *to get married*
matériel (m), *material*
maternelle (f), *infant school*
mélange (m), *mixture*
mesure (f), *measure*
dans quelle mesure, *to what
    extent*
milieu (m), *environment; criminal
    underworld*
mi-temps (f), *half-time*
mobiles (m pl), *motives*

mobiliser, *to mobilise, bring into
    action*
mondial, *world-wide*
monopoliser, *to monopolise*

natal, *native (country)*
nier, *to deny*
niveau (m), *level*
nommer, *to name, quote*
notoire, *notorious*
nucléaire, *nuclear*
nuisible, *harmful*

obligatoire, *compulsory*
obliger, *to oblige, force*
observer, *to observe*
obtenir, *to obtain*
occasion (f), *opportunity*
d'occasion, *second-hand*
ordinateur (m), *computer*
outre, *outside of, beyond (arch.)*

palmarès (m), *prize list*
panache (m), *flair*
partager, *to share, divide*
parti (m), *(political) party, person,
    interest*
partisan (m), *supporter*
péjoratif, *pejorative,
    uncomplimentary*
percevoir, *to perceive, discern, bear
    in mind*
permettre, *to allow, permit*
personnel (m), *personnel, staff*
le peuple, *the people*
phénomène (m), *phenomenon*
plaider, *to plead, put forward*

plan (m), *plan, map, realm, area,*
level, field
sur le plan de ..., *from the ...*
point of view; in the ... field
planification (f), *(town-)planning*
pointilleux, *punctilious, particular,*
fussy, carping
politique (f), *politics, policy*
polyandrie (f), *polyandry (i.e.*
having more than one husband)
polygamie (f), *polygamy*
poseur(-se) (m/f), *a person who*
puts on side, a 'pseudo'
pot-pourri (m), *hotch-potch,*
mixture, medley
pourtant, *however*
pousser, *to push*
pouvoir (m), *(the) power*
pratiquer, *to practise, take part in*
précarité (f), *precariousness*
préciser, *to specify, state precisely*
se priver de, *to do without*
première (f), *sixth form*
pression (f), *pressure*
preuve (f), *proof*
prévoir, *to foresee*
procurer, *to obtain, procure*
se produire, *to come about, happen*
profiter de, *to take advantage of*
proscrit, *proscribed, banned*
propagande (f), *propaganda*
prouver, *to prove*
provenir (de), *to arise, originate,*
issue (from)
provisoire, *provisional*
provoquer, *to provoke, bring about*
psychologue (m/f), *psychologist*

le public, *the public*
punition (f), *punishment*
puissance (f), *power*

quant à ..., *as for ...*
quasiment, *almost*
quelconque, *whatever*
quotidien, *daily*

raison (f), *reason, (being) right*
rang (m), *rank*
rapport (m), *report, relation*
par rapport à, *in relation to*
rapports (m pl), *relation(ship)s*
rapprochement (m),
reconciliation, bringing together
réaliser, *to bring about, achieve*
récompense (f), *reward*
réclamer, *to (lay) claim (to),*
demand
rédiger, *to draw up, draft, edit*
redouter, *to fear*
réduire, *to reduce*
se référer à, *to refer to*
refouler, *to repress, trample*
refus (m), *refusal*
régime (m), *regime, diet*
relation (f), *relationship*
remède (m), *remedy*
remonter, *to go back to (time)*
renforcer, *to reinforce*
renommée (f), *fame*
renoncer à, *to give up, renounce*
renouveler, *to renew*
répliquer, *to reply, retort, rejoin*
répugner (à), *to be reluctant (to)*
requérir, *to require*

requis, *required*

résoudre, *to (re)solve*

ressources (f pl), *resources*

résultat (m), *result*

résumer, *to sum up*

se résumer à, *to be summed up as, reduce itself to*

retirer, *to withdraw*

rétorquer, *to retort, hurl back*

réussir, *to succeed*

revenir, *to get back (to the subject)*

révolu, *bygone*

risquer (de), *to be likely (to), run the risk (of)*

rondement, *roundly*

sain, *healthy*

satisfaisant, *satisfying*

sauf, *except (for)*

savant (m), *scientist, scholar*

scrutin (m), *poll, ballot*

selon, *according to*

semblable, *alike, similar*

nos semblables, *our fellow men and women*

sensiblement, *appreciably, to a considerable extent*

servir de, *to serve as*

SIDA (m), *AIDS*

siècle (m), *century*

significatif, *significant*

signification (f), *significance, meaning*

signifier, *to signify, mean*

sinon, *if not*

société (f), *society, association*

soi-disant, *so-called*

sondage (m), *poll*

souhaitable, *desirable*

souligner, *to underline*

se soumettre à, *to submit to*

soupape de sûreté (f), *safety-valve*

soutenir, *to sustain*

soviétique, *soviet (adj.)*

spécifier, *to specify*

spectacle (m), *spectacle, show*

spectateur, *spectator, viewer*

stabilité (f), *stability*

subalterne, *minor, inferior, subordinate*

subir, *to submit to, put up with, sustain*

subsister, *to subsist, exist*

subvenir, *provide for, relieve, meet (expenses)*

suffir, *be enough, suffice*

suffisamment, *sufficiently*

suffisamment de . . . , *sufficient + noun*

succès (m), *success*

suggérer, *to suggest*

surmené, *overworked*

supporter, *to put up with*

survivre, *to survive*

susciter, *to create, give rise to, instigate*

en tant que, *(in its capacity) as*

tarif (m), *tariff, price-list, rate*

taux (m), *rate, level*

tendance (f), *tendency*

tentative (f), *attempt*

tenter de, *to attempt to*

témoigner (de), *to bear witness (to), testify*
terminale (f), *(upper) sixth form*
thèse (f), *thesis, argument*
toutefois, *all the same*
trahison (f), *treason*
traitement de texte(s) (m), *word-processing*
tremplin (m), *springboard*
tribu (f), *tribe*

d'usage, *usual, habitual, ordinary*

(s')user, *to wear (oneself) out*
usuel, *usual, habitual, ordinary*
utiliser, *to use*

valable, *valid*
vélomane (m/f), *cycle fanatic*
vente (f), *sale*
victoire (f), *victory*
se volatiser, *to vanish into thin air*
volonté (f), *will, intention*
vraisemblable, *probable, likely credible*

Appendix C

Essay Topics

The essay papers in this Appendix provide a reasonably representative sample of the type of topics set for Advanced examinations.

Read through one essay paper, choose a single title from it and begin by merely writing an introductory and concluding paragraph. Then move to another paper, select a title and write three paragraphs of eight to twelve lines from what would have been the main body of a full essay. Work in this manner, producing partial essays, until you are confident of increasing fluency in your writing and can start producing complete compositions.

In the early stages work with both a French–English and a French–French dictionary, together with Appendices A and B. After a few weeks of this method, try to make yourself remember the phraseology you have culled from previous work and adapt it to your current topic. When you have worked like this for several months, begin to think of writing an essay with no help except from the French–French dictionary. Finally, isolate yourself with no books for one and a half hours and see what you can write.

Essay coding
The essay titles in this Appendix are coded according to the classifications discussed on page 1 of Chapter 1. The classifications are repeated below for ease of reference:

A   A contemporary problem or scene
B   A moral issue
C   Visits to and interest in a French-speaking country
D   The cultural or social background of a French-speaking country
E   A socio-political question
F   A socio-economic question
G   A philosophical question
H   Literature and the arts
I   Hobbies and pastimes
J   Sport

Paper 1	**Category**
1 Décrivez un séjour que vous avez fait en France.	C
2 Notre société violente et criminelle.	A/B/F
3 Les hommes et les femmes politiques ne sont plus honnêtes. Êtes-vous d'accord?	E
4 Qu'est-ce que les Beaux Arts offrent au peuple?	H/F
5 Un(e) musicien(ne) français(e).	C/D
6 Le sport n'a plus rien à voir avec l'esprit amateur.	J/F/G
7 Pourquoi les BD, restent-elles un phénomène culte en France?	I

Paper 2	
1 Décrivez une région française que vous connaissez.	C/D
2 L'égalité des sexes, existe-t-elle déjà dans notre société ou non?	A/B/G
3 Le service militaire ou civil doit être obligatoire	B/E/G
4 Qu'est-ce que la représentation proportionnelle offre à la démocratie européenne?	E/G
5 'Nos grandes villes sont des prisons!' (Sartre)	A/B/F/G
6 Comment envisagez-vous la médecine d'ici 50 ans?	A/F/G
7 Écrivez une appréciation d'un metteur en scène du cinéma français.	H

Paper 3	
1 Faites la description d'une ville française.	C
2 L'homme au foyer.	A/B/F/G
3 La signification de la musique dans la vie des gens.	H
4 'J'ai le droit de porter un revolver.' Discutez ce propos d'un sénateur américain par rapport à la société française.	B/G
5 L'école, devrait-elle préparer au travail ou au chômage?	A/B/F/G
6 Une visite au théâtre en France.	C/D
7 'Éliminons les cités énormes et nous éliminerons une des bases de nos problèmes sociétaires.'	E/F

Paper 4

1   Discutez quelques différences que vous avez
    remarquées entre la France et la Grande Bretagne.   C/D
2   Le portrait d'un(e) Français(e) que vous avez
    rencontré(e).   C/D
3   Le racisme en France, phénomène passager ou non?   A/B/F/G
4   'La littérature?—C'est une perte de temps!' Justifiez
    votre avis là-dessus!   H
5   'Le Président est un roi manqué!' Discutez ce vieux
    slogan par rapport à la France.   A/E/G
6   Le rôle des robots dans la société du 21ème siècle.   A/B/F/G
7   Avec la nouvelle génération d'ordinateurs inter-actifs,
    on n'aura plus besoin de la société des gens.   I/E/F

Paper 5

1   Comparez un collège/lycée anglais avec un
    collège/lycée français que vous connaissez.   C/D
2   Comment justifier une éducation libérale dans un
    monde gouverné par le commerce?   F/G
3   'Nous vivons dans une société divisée en deux—les
    riches contre les pauvres!' Commentaire valable sur
    la France ou non?   A/B/G
4   La police et notre société.   G
5   Le sport est plus dangereux que l'oisiveté.   G/J
6   Croyez-vous que la religion a été remplacée par la
    technologie en France?   B/G
7   Le chômage mène directement à l'instabilité sociale.   E

Paper 6

1   Nous sommes devenus les escalves de l'ordinateur.   A
2   Le cinéma, plus qu'un divertissement?   H
3   Une personalité française que vous connaissez.   C/D
4   Le sport en France est moins professionnelle qu'en
    Grande Bretagne.   J/D
5   Les avantages et les inconvénients du grand nombre
    de centrales nucléaires en France.   B

6   L'égalite des chances n'est qu'un slogan inventé par
les hommes politiques.   E

7   Les jeunes de 15 à 25 ans sont responsables de 70%
des crimes en France. Faut-il les soumettre au
couvre-feu le soir?   E/F/G

Paper 7

1   La cuisine française.   D
2   Un film français que vous avez vu.   C
3   L'Europe du 21ème siècle.   G
4   Que signifie le mot 'culture' pour les Français?   G
5   Mieux vaut garder les maternelles que les universités!
Êtes-vous d'accord?   A/G
6   Comment combattre le terrorisme?   A
7   Discutez le lien entre la vie et l'œuvre d'un peintre
français.   H

Paper 8

1   Plus on est civilisé, plus on oublie ses racines.   G
2   La télévision et surtout la publicité à la télévision
créent des rêves qui sont impossibles à réaliser.   B
3   'L'Entente Cordiale a été remplacée par l'Entente
franco-allemande.' Discuter.   D
4   Une vedette de cinéma française.   C
5   Est-il possible de justifier la censure?   G
6   'Si une personne a faim, ne lui donne pas un poisson.
Apprends-lui à pêcher.'   B
7   Discutez la structure économique et industrielle d'une
ville ou région française.   F

Paper 9

1   Un livre français qui m'a impressionné.   C
2   L'exode rurale en France.   D
3   Peut-on justifier les écoles privées en France?   F/G
4   Quand l'école est trop grande, l'esprit de l'individu
reste petit.   G
5   On ne peut pas être et riche et heureux.   G
6   'Les Français pensent trop à la nourriture et les
Anglais trop aux animaux.' Discuter.   D

7   Comparez la position des immigrés en France et dans
     votre propre pays.   A/B/E/F

Paper 10

1   Quelles perspectives de la société contemporaine nous
     sont présentées par la pièce de théâtre que vous avez
     étudiée?   H

2   Faites une comparaison des systèmes de santé en
     France et dans votre propre pays.   C/D/F/G

3   Quels sont les problèmes principaux auxquels la
     France doit faire face?   A/B/E/F

4   Vaut-il mieux avoir un président ou un premier
     ministre dans votre pays à vous? Basez votre réponse
     sur l'expérience de la France.   E/F/G

5   Pourquoi est-ce que la France est si troublée par le
     crime?   A/B/E/F

6   Plus on est sportif et plus on est fit, moins on est proie
     à la drogue!   A/B/J

7   L'opéra et le ballet sont deux Arts exclusifs pour une
     clientèle exclusive.'   H

Appendix D

Key to Chapter 3 Assignments

1 Mon vélo n'est pas seulement quelque chose de nécessaire: il est plutôt une passion. Je n'aime pas être enfermé dans une pièce toute la journée et je prends toujours l'occasion de me balader en plein air quand elle se présente.

2 La solution la plus facile serait de dresser des barricades, ou même d'annuler les concours sportifs. Mais ceci ne représente guère une solution.

3 Dans un proche avenir il n'y aura tout simplement pas les places nécessaires pour embaucher les millions qui quittent l'école chaque année. Il sera donc nécessaire de redéfinir la base du travail.

4 Ne serait-il pas vain d'essayer de subsister sur ce qu'il reste de notre stock global de pétrole? Nous avons exploré dans cette thèse les moyens alternatifs.

5 Ce qu'il y a de certain c'est que nous avons tort de croire tout en rédigeant le bilan de la drogue dans ce pays que ce soit un phénomène particulièrement français.

6 En règle générale, le soin essentiel des animaux était de nourrir leurs petits et de leur inculquer un entraînement pratique qui leur permettrait de survivre dans leur milieu de naissance. Peut-être existe-t-il parmi les groupes humains même les plus primitifs, un certain code et une certaine moralité qui doivent être préservés pour assurer l'existence de la tribu.

7 Il semble que dans certains cas la réponse à ces questions soit résolue par une décision à court terme, destinée à être révisée, si besoin est. Pourtant sans vouloir clore sur une note pessimiste, il semble que le système d'hier et l'attitude du gouvernement engendreraient néanmoins d'excellents résultats.

8 J'ai fait ma première visite en France l'année dernière. J'y suis arrivé avec une fausse idée des Français et je suis rentré en Angleterre avec une attitude tout à fait différente. Aussi ai-je fait des amis que j'aime bien. Il faut que j'y retourne. La famille chez

qui je logeais et le groupe dont j'étais membre étaient très amicaux.

9 J'aime jouer au rugby parce que ça m'a fourni l'occasion de voyager avec mon équipe. Le rugby est un de ces jeux qui vous encouragent à faire de votre mieux et après le match vous avez la compagnie de vos amis. Notre club est très enthousiaste et nous voyageons partout. Nos joueurs ont représenté la région au Canada et nous nous sommes beaucoup amusés.

10 Suffit-il d'avoir raison pour convaincre? Nous avons essayé de démontrer que non. Parfois cela suffit, mais les cas sont marginaux. Dans une société idéalisée, utopique et artificielle, la raison suffirait pour croire. Mais si celle-ci est liée à l'absence de sentiments, ne serait-on pas alors dans l'inquiétante société que décrit Aldous Huxley dans son livre, 'Le meilleur des Mondes'?

11 Peut-être la vérité de cette déclaration est si évidente qu'il ne vaut pas la peine de la discuter si on la prend au pied de la lettre. Après et même avant l'époque de Louis XIV, la France a souffert d'une centralisation excessive où Paris a dominé le pays d'une façon hautaine.

12 Toute une gamme de sondages récents révèle que le cousin campagnard n'apprécie point les attitudes des membres parisiens de sa famille, ni sa prospérité qui semble souvent exorbitante, comparée au niveau de vie dans les régions plus isolées de la France.

13 La loi de 1944, suivant la deuxième guerre mondiale, reconnaissait le besoin de chaque individu d'avoir le niveau d'instruction nécessaire pour en faire un membre actif dans une communauté qui devait surmonter les suites désastreuses à la stabilité économique du pays.

14 Je commençais à m'intéresser à la musique pop il y a quatre ans. Je vais très souvent à la disco, et, là, j'ai l'occasion d'écouter mes disques préférés en dansant. Il est vrai qu'il est nécessaire d'être fit si on veut jouer.

15 Je ne suis pas membre d'un club de sport, mais le badminton et le judo sont mes sports préférés. Je joue aussi au tennis de temps en temps. La semaine dernière je suis allé au club de tennis pour jouer avec mes amis. Je n'ai pas bien joué. J'ai perdu, trois sets à zéro. Quelle chance!